JN090703

科学がつきとめた疑似科学

「科学リテラシー」で賢く生き延びる

山本輝太郎 著
石川幹人 著

X-Knowledge

はじめに

本書では「疑似科学」を中心テーマにしています。といっても、そもそも疑似科学というコトバ自体を聞いたことがないという方も多いと思います。

本書で扱っている疑似科学をざっくり定義すると、「科学的であるかのように見えるが実は科学的とはいえない主張や言説、情報」のことで、似たような言葉として、「ニセ科学」「エセ科学」などがあります。もしくは、「科学のフェイクニュース」「あやしい科学」「科学のニセ情報」などと言い換えてもよいかもしれません。とにかくそんな感じの概念です。

「これって効くの？」
「あれって本当に効果あるの？」
日常の中でこうした疑問を抱くことも少なくありません。本書では、そうした疑問を抱いたときにうまく判断するための手がかりとして、さまざまな「疑似科学とされるもの」の事例を取り上げ、解説しています。もちろん、現時点では疑似科学性が強いと思われる対象でも、今後の研究成果によってその評価が大きく変わる可能性もありますので、興味のある事例については、継続的に自身の知見を見直していくことが重要です。

ちなみに、本書で取り上げている事例の一部は、筆者らが運営している「疑似科学を見抜くポイント」というウェブサイトにおいて、本書で解説している「Gijika.com」に基づいて、より詳細に科学性の評定を行っています。もっと詳しく知りたい事例についてはサイトのほうも見てみてください（サイトのURLは「おわりに」に記載しています）。また、自分で詳しく調べてみた結果、筆者らの説明とは異なる見解に至るケースもあるかもしれません。むしろそうした好奇心こそが、疑似科学に惑わされないための科学リテラシー獲得の第一歩と言い換えてよいと思います。

なお、本書はいわゆる「理系がニガテ」という方にこそおすすめできる本を目指しました。実際、本書で書かれている内容のほとんどは、僕自身が学校で学べる期間を終了したあと（20歳代中盤以降）に身につけた知識に基づいています。そのため、同じような方向けの「科学リテラシーの入門書」という感じで気軽に読んでもらえれば幸いです。

2023年11月

山本 輝太郎

目次

第3章 疑似科学の「データ」の見抜き方

データ
理論

第6章 疑似科学を見極める人間の視点……158

イラスト　しりもと
ブックデザイン　米倉英弘（細山田デザイン事務所）
組版　天龍社
印刷・製本　シナノ書籍印刷

第1章

科学とは何か？

まずは、そもそも科学とはナニで、どういうものなのかについて共有する。本書のコンセプトは方法論として科学を捉えることであり、いわゆる理科・理系などの自然科学に留まらず、社会科学や人文科学も科学の対象範囲である。そのうえで、科学と疑似科学の線引きの難しさや、疑似科学を見抜く科学リテラシーを獲得することの意義について伝えていきたい。

1 科学＝理系ではない

仮説と検証のサイクルとは？

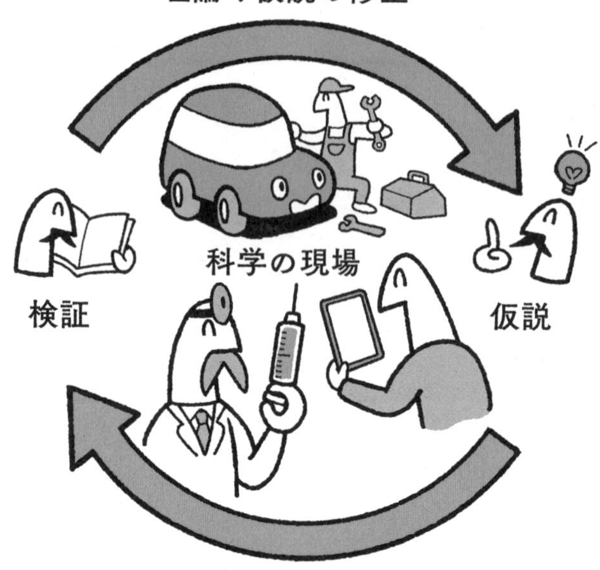

自然物を対象とする自然科学のみが科学と捉えられがちであるが、少なくとも本書では、より広い方法論としての科学を前提とする。仮説と検証のサイクルによって一定の法則やパターンを明らかにするのが科学の核心であり、一部の人間だけのものではなく、すべての人類がその知見を享受できる普遍的な手法である。

みなさんは「科学」と聞いてどういったイメージを思い浮かべるだろうか。学校の理科教室、理系、白衣を着た人物、ビーカーやフラスコ、リケジョ…、物理学、化学、生物学など、いわゆる自然科学分野を思い浮かべる人が多いのではないだろうか。しかし、広義の意味で科学とは「一定の目的・方法のもとに種々の事象を研究する認識活動および、その成果としての体系的知識」であり（小学館デジタル大辞泉）、単に自然科学に留まらず、社会科学や人文科学も科学の対象範囲である。一言で表現すると科学とは、何かを究明するための「方法論」であり、この方法がわれわれの文明社会を支えてきたのである。

方法論としての科学を分解すると、大きく仮説と検証のサイクルによって成り

1

身の回りにありふれる科学たち

科学というと、何やら堅苦しいイメージや、何らかの権力的な側面を想起する人もいるかもしれない。しかし、科学は誰にでも開かれたオープンな取り組みであり、その価値は中立的である。いついかなる時でも科学という「思想体系」が絶対視されるわけではなく、われわれは科学と、科学以外の直感や文化的教えなどを使い分けながらこの世界を認識し、生きているわけである。

「科学」がなければ生活もままならない！

生活になくてはならない家電も科学技術のたまもの
住んでいる家自体も科学的知見が積み重なった結果、今の暮らしやすい形がある
ここにも科学が！

立っているといえる。ある理論に基づき具体的な仮説を設定し、それがデータによって検証されることによって理論が正当化され、一般化していく。科学という営みでは基本的にこれが繰り返され、現に発展していることがわれわれには認識できているのである。

逆に、理論通りのデータが得られなかったり、新たなデータによって理論が修正されたりと、科学の知見は日々更新され、特にデータの少ない最先端の知見には「ゆらぎ」がある。「科学は正しいため従うべきである」あるいは「科学も宗教のような思想の一つに過ぎない」といった極端なイメージを抱きがちだが、科学の営みは実は人間臭く、一方で便利で使えるがゆえに支持すべき場面も多い。科学は「教義」ではなく「ツール（道具）」であるため、都合よく利用するマインドが重要なのだ。

「自然VS科学」ではない!

科学に対する誤解の一つとして、「科学は自然を破壊する」というものがある。確かにかつての公害問題をはじめとして、自然と科学は対立軸としてみなされることが非常に多い。一方、たとえば東京の水道水が美味しくなったように、自然との調和の問題を解決できるのも科学である。

東京の水道水は塩素消毒からオゾンによる浄水によって近年劇的に改善し、味も美味しくなった

科学の発展が自然を守ることにもつながっている

「科学は絶対正しい」は逆に非科学的

「科学は絶対的に正しい」という主張もある。しかし、先端科学の知見にはゆらぎがあり、新たなデータによって覆る可能性もあるため、誤っている可能性を省みないのは科学の方法に反する。また、科学以外の思想体系を尊重すべき場面も現実には多く、「科学の知見は絶対だ」というスタンスは、教義的に科学を信じているという意味で行き過ぎた科学主義におちいっているともいえよう。

こんな科学者は、いまやほとんどいない

教義的に科学を信じているという意味で行き過ぎた科学主義に陥っている

期待通りにならないのもまた科学的

同じく、「科学は冷たい」という主張もある。科学では、極力バイアス（偏り）をなくすためにさまざまな手法がとられているため、その意味では温かみはないと感じるかもしれない。しかし、恣意的にある主張を評価したり、逆に評価しなかったりといった好き嫌いがないのが科学のよさでもある。ゆえにこれはポジティブに捉えるべき主張だろう。

この公平さが信頼できる
こっち来て
結果だしてよ？
健康食品など商品の効果・効能を裏付ける、欲しい結果ありきの研究など、金銭的な誘惑は多い
どんな誘惑にもなびかないのが科学のよさ

科学は方法論そのものだ！

ある理論を元に調査・実験をし、そのデータで検証をする。その検証を元に理論を修正して、再度調査・実験を…といったサイクルは、レシピの実践と試食を繰り返し料理の腕を上げるようなもの。「科学」は理論とデータを駆使して文明を支えている。

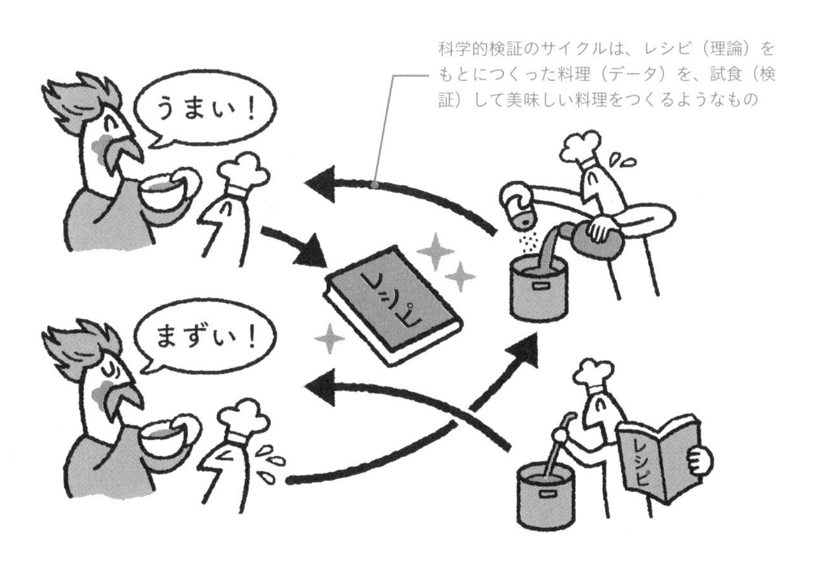

科学的検証のサイクルは、レシピ（理論）をもとにつくった料理（データ）を、試食（検証）して美味しい料理をつくるようなもの

2

意外と身近な科学的思考スキル

農業は統計学で考える

農業はタネや土の種類、天候などの重要な条件が多い。成功させるには統計学的な発想に基づき、よい条件や有意義な知見を引き出すことが必須になる

適当にやると条件が揃わず失敗してしまう。農業には統計学的な発想が必要なのだ

物理学や化学とは異なり、農業では条件の管理が難しい。個々のタネの大きさや質にはばらつきがあり、土壌や天候など、作物の出来を左右する要因が多いからだ。

農業における収穫予測が統計学の原点であるように、「仮説と検証のサイクル」に支えられる科学という方法論は、文明社会発展の屋台骨といっても過言ではない。やや哲学的にいうと、われわれは科学の知見が一夜にして役に立たなくなることはないだろうという認識に基づき、その実在を受容しているのだ。われわれの日常生活のいたるところに科学の知見は生かされていると同時に、科学的とはいえない疑似科学情報についても、美容や健康など、ごく身近なところにこそあふれている。

こうした情報の海と化している現代社会を賢く生き抜くために必要な思考スキルとして、クリティカルシンキング（批判的思考）の重要性が指摘されて久しい。クリティカルシンキングとは、「論理的、

天気予報も科学の結晶

気象に関する法則も条件が複雑なため予測が難しく、一定の精度をもつような天候予測が可能になったのも17世紀以降である。一方、古くからの経験に基づいた予測などの妥当性も現代の科学的手法によって検証されつつある。

古くからの言い伝えでもある「夕焼けは晴れ、朝焼けは雨」などのように経験に基づいた予測もある

17世紀には寒暖差や気圧計を使った予測を行っていた

19世紀には気象の法則を理論化し、天気図を活用して予測していた

現代では世界各国や宇宙からの情報を統合した予測へと進化している

客観的で偏りのない思考であり、自分の推論過程を意識的に吟味する反省的思考」などと定義される。クリティカルシンキングは、疑似科学情報の見極めに重要な思考法だが、一方でそれを体得し、実践するのは簡単ではない。たとえばクリティカルシンキングに関して、「あなたはレース中に2位の人を追い抜きました。あなたは今何位でしょう？」というクイズがある。直感的には「1位」と答えたくなってしまうが、正解は2位である。少し立ち止まって論理的に考えると正しさが見えてくるものも、直感に捕らわれてしまえば誤ってしまうのだ。

疑似科学情報でも直感に訴えるものが多いため、本書では個別の疑似科学事例を解説するとともに、さまざまな疑似科学を見抜けるようになる論理的視点や反省的思考を磨くポイントを紹介する。最後まで読み通せば身につくことだろう。

「健康」にも科学リテラシーが必要

食物や栄養が健康や病気に与える影響を過大に評価・信奉する態度を「フードファディズム(food faddism)」と呼ぶ。食品や栄養などの「広告的な意味」が誇大化し、「これさえ食べれば健康である」という論が多く広まっている現代社会において、健康に関する科学リテラシーの向上は社会的な急務といえる。

特に食品において、健康や病気への影響をうたう広告が増えている。正しく認識し、判断するためには消費者の知識が必要だ

「美容系商品」の科学的根拠には要注意

化粧品に区分されない美容系商品は、疑似科学的情報が最も流布しやすい分野かもしれない。化粧品であれば、効果を標ぼうできる範囲も法的に厳格に定まっている。一方、法的には「雑品」扱いの美容系商品はこうした規制の対象外のため、科学的根拠なく幅広い効果がうたえてしまうという皮肉な状況に置かれている。

美容関係商品の中でも「雑品」扱いの商品は効果を表現できる範囲が法的に定まっていない

「化粧品」に区分される商品は、広告などで表現できる効果の範囲が決まっている

美容品は雑品なので、化粧品よりもかえって自由にPRができてしまう…

食べても届かない!? 健康食品の罠

グルコサミンが典型例だが、「不足している成分を飲めばそのまま体に行き渡る」との思い込みを利用した事例が疑似科学では多い。ある物質を摂取したのち体内にそのまま反映されるのはビタミン類などの一部の成分に過ぎず、タンパク質や炭水化物は消化吸収されたのちに身体全体に必要な各物質に再生成される。人体の仕組みの基本的な理解だけでなく、そう思い込みやすい心理傾向を自覚していくのがよいだろう。

食べて消化されたものは、そのまま患部へは行き渡らないことがほとんど

食べたものは必ず消化管で分解・吸収される。これはもし食べたものに毒があった場合、細かく分解して作り直すことで毒性を発揮させずに利用するためのプロセスでもある

批判は自分に！ 否定されたら反論せずに考え直そう

美容や健康分野の商品などで、疑似科学を見極めてみよう。クリティカルシンキング（批判的思考）を身につけて反省を怠らないことが正しい判断への近道となる。

批判に反射的に反論すると、科学的な議論の積み重ねが起こらない

自分の考えに反省的になることが、科学的な思考の第一歩

3 科学と疑似科学は分けられない？

髪の毛は何本からハゲなのか?

ハゲの判別に対して、「髪の毛何本以上／未満」という区分は難しい。厳密な線引きにこだわるあまり、全体像を見失ってしまうとむしろ本末転倒である
ハゲ
ハゲじゃない
ハゲ基準

「ハゲ頭のパラドックス」は線引き問題などの例えに使われることがある論理学のパラドックスの一つである。髪の毛ではなく、砂粒の数で砂山を厳格には定義できないという「砂山」に例えられることもある。厳密な定義にこだわらなくても、科学と疑似科学についての有意義な議論は可能である。

疑似科学を見抜くためには、疑似科学と「そうでないもの」を区別する必要があるが、実はこれが簡単ではない。というのも、科学と科学でないもの（≒疑似科学）の線引きについては多くの哲学者によって長年議論されてきたが、これまでのところ両者のあいだに画一的な線を引くことは不可能である、との結論に落ち着いているのである。これは「境界設定問題」と呼ばれ、科学哲学上の難問とされている。

なぜ科学――疑似科学の線引きが難しいのか。これは、ハゲ頭と髪の毛の関係に例えることができる。たとえば、ハゲ頭とハゲでない頭を区別するために、「髪の毛〇本以上あればハゲでなく、〇本未満だとハゲである」との基準を設けたとする。しかし、こうした基準では対

ありふれた「科学的」な商品

現代社会は科学に関する情報であふれており、社会的に大きな話だけでなく、美容や健康など消費者個人として関わる話題も多い。さらに、科学の対象はいわゆる自然科学に限定されず、社会科学や人文科学も科学の適用対象である。

自然科学以外にも人文科学や社会科学など、「科学」として知見が積み重ねられた分野は多岐にわたる

ドラッグストアを一周回ってみると、科学が関与する言説や商品がいかに多いか実感できるはず

象となる人や判断される状況などによって、実際にはハゲていないと多くの人が感じる事例がハゲに分類されたり、その逆が起きたりといった例外が生じてしまう。また、髪の毛1本という全体から見るとごくわずかな違いでハゲかそうでないかが分類されるため、ハゲ頭の本来の概念（＝極端な薄毛）があいまいになってしまう事態も生じる。

科学――疑似科学の線引きも同じ構図であり、特に科学の場合、科学的厳密性を重視するあまりに厳しい基準で線を引こうとすると先駆的な知見の芽が摘まれてしまう可能性があり、一方でゆるすぎる基準に設定して線を引こうとすると一般消費者にとって好ましくない問題商法が横行する可能性がある。明確な線を引いたことでかえってナンセンスな状態になるという皮肉な事態にもなりうるのだ。

どこから「科学」なのかは曖昧

仮に厳密な線を引いたとしても「例外」や「曖昧さ」からは逃れられない。たとえば、「病原に直接作用しない場合は科学的ではない」との基準を設けた場合、対症療法になっている医薬品の多くは疑似科学になってしまう。一方、表面的な症状が緩和されることで病原に対する抵抗力が得られたり、体調が改善して社会的な活動が可能になったりする面については、「ヒトを治す」という医学（科学）の主旨には合致しているといえる。

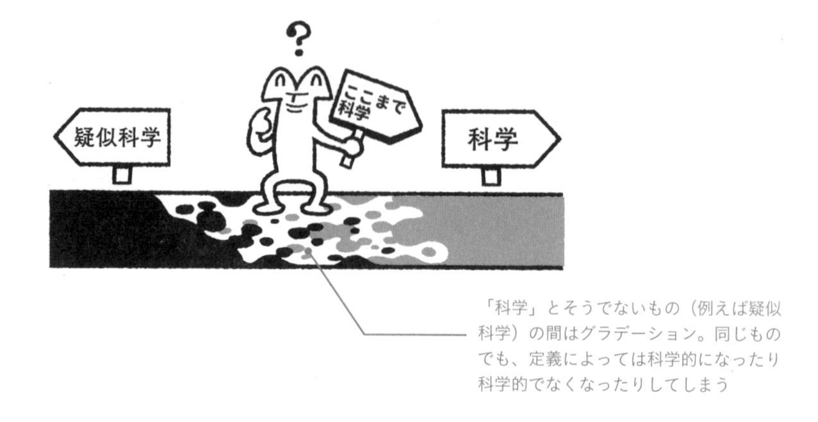

「科学」とそうでないもの（例えば疑似科学）の間はグラデーション。同じものでも、定義によっては科学的になったり科学的でなくなったりしてしまう

境界線は緩すぎても厳しすぎても困る

厳しい境界線だと、将来有望な先駆的な知見が受け入れられにくくなり、逆にゆるすぎると疑似科学的な商法が広がってしまう。科学と疑似科学の線引きに厳密になりすぎると、現在「科学」とされている分野でもかなりのものが疑似科学になりうる。工学や医学など、確たる理論がまだ不明であるが実用面では優れているものなどが典型例である。

「飛行機が飛んでいる理論」は（詳細なところは）確立できていないが、「飛行機は飛ぶ」ということの再現性は抜群にある。前者の議論では「疑似科学的」だが、後者の再現性としては「科学的」

「科学的」であるという基準を厳しくしてしまうと、むしろ科学の発展を妨害してしまうことにつながる

厳密な線引き設定には意味がない

「科学」と「疑似科学」の境界線は曖昧なもの。まずは俯瞰して何が問題なのか考えてみよう。厳密な線引きを議論するのは、わずかな髪の毛の本数にこだわるような、意味のない行いなのだ。

境界線の議論には終わりはなく、むしろ科学的な議論の邪魔になってしまう

column
科学リテラシーの重要性

表に出る「結果」に注目が集まりがちだが、科学的に注目すべきなのは「プロセス」だったりする

現代社会ではネットやSNSなどを通して、審査を通っていない論文や専門家個人の私見がチェックを経ずに一般社会に流れ出る傾向にある。そのため、疑似科学が疑われる事例についても、「専門家の意見を聞く」「査読論文があるか確認する」などの伝統的な手法だけでは解決できない状況にあり、市民自らが判断しなければならない場面は多い。科学の体裁をもったものから疑似科学を見抜き判断できる力、とりわけ「科学リテラシー」の養成が重要だ。科学リテラシーとは「疑問を認識し、新しい知識を獲得し、科学的な事象を説明し、証拠に基づいた結論を導き出すための知識とその活用」などと定義され、よき社会を築くために市民が身につけるべきリテラシーの一つとして位置づけられる（OECD-PISA）。

ここで重要なのは科学の方法論だ。ごく単純化すると、研究対象を描写する理論を立て、その理論によって将来の観察や実験の結果を予測する。仮に理論による予測と実際のデータが合わない場合、理論を変更したうえで再度データ収集し、理論を検証する。このような科学の方法論をマスターすることで、対象がどの程度科学的方法にのっとっているかが判断できるようになる。本書で扱っているさまざまな「疑似科学とされるものの事例」は、こうした判断力を磨くための「材料」なのだ。

4

言い切れないほうが科学的

科学はボトムアップで進歩した

過去のデータの蓄積によって遠くまで見えるようになる。井の中の蛙になってはダメ
どう？
正しい…かも
科学的に正しい！
?
結論を言い切れるのは、不都合なデータを見ないようにしたり隠したりしている可能性が高い

「科学的な証明」というフレーズを耳にすることは多いが、科学においては確実な証明は不可能である。なぜなら、データによる検証は限定した範囲でしか行えず、つねに不完全であるからだ。厳密にいえば、明日から観測データの特徴がガラッと変わってしまうこともありえる。だから、反証データに対して謙虚な態度であるほうが科学の精神にかなっているわけだ。

実際の「科学」と「疑似科学」との境界設定に関する議論の中では「科学や疑似科学を特徴づけるもの」についてのさまざまな提案がなされてきた。

もっとも有名なのは「反証可能性」と呼ばれる概念で、哲学者のK・ポパーが提案した。反証可能性とは、「ある仮説に対して証拠による反証によってその仮説を修正できる構図にあるか」ということで、こうした想定がないものは疑似科学と判定できるということである。たとえば、すべて「神様のおかげ」と解釈する神様仮説の場合、たとえ戦争が起きても「神のおぼしめし」となるので、どんなデータをもってしても神様を反証できない。ポパーはこの概念を使って、データがないまま解釈が先行していた当時の精神分析やマルクス主義を批判した。

反証可能性と反証不可能性

突飛な例だが、何が起きても「妖精や神様のおかげ」と解釈すれば、データによる反証が無効になってしまう。例えば「すべてのカラスが黒い」という仮説を立てた後に白いカラスが見つかった場合、仮説を捨てるのは「反証可能」、白いカラスが「妖精のせいだ」と解釈すると反証不可能となり、仮説の科学的意義を捨てるに等しくなる。

白いカラスが見つかったとき、この仮説に固執せずに捨てるという潔さがあれば「反証可能」であり、科学的意義がある
仮説の提唱
すべてのカラスは黒い！
白いカラスが見つかったとき「カラスの羽は妖精が黒く塗っているだが、これは塗り忘れたのだ」と説明すると、依然として「すべてのカラスは黒い」という仮説に固執できてしまう
仮説
ポイ
!!
妖精が白くしたのだ！
反証可能
反証不可能

一方、T・クーンによる「パラダイム」もよく知られた概念である。これを一言で表すと、「科学者集団が共有している規範や体系、世界観のようなもの」であり、科学者集団が共有する、とある枠組みが別の枠組みへと革命的に転換することを「パラダイム転換」と呼ぶ。歴史的には天動説から地動説への転換が有名だ。複数の理論が対立する場合、その良し悪しだけでなく、科学者集団の政治的・社会的な要因なども含めた総体として正当化されるため、学界で支持される理論が劇的に入れ変わることがある。

このように、現在〝正しい〟とされる理論もデータによって覆る可能性があり、そのほうがむしろ科学的であるとさえいえる。それが宗教的な教義との大きな相違点である。実際、科学の発展はボトムアップ的なデータの蓄積や反証の繰り返しによって支えられてきたのだ。

反証データの扱い方

反証データが出てきた場合、もともとの理論に後付けする形で理論を形成するのは好ましくない。もとの仮説はいったん白紙にして、反証データに沿った詳細な条件を検討するのがよい。そのうえで、その条件が合致しているか、再度改めてデータを収集しなければならない。

「すべてのカラスは黒い」という理論に対して「白いカラス」が観測された場合は、仮説を白紙にして、一から条件を再検討する必要がある
!!
白紙にする勇気が大事！

常識が変わるパラダイムシフト

今日まで科学的成果とされてきた知見が、学界の情勢によって革命的に変わることがある。その革命がいつ起きるかは、なかなか予想できない。なぜなら、反証データが古い理論によって、観測の誤りなどとして片付けられてしまっているからである。

パラダイム＝考え方の枠組み

天が回っている
地球が回っている

column
データによるボトムアップで発展する科学

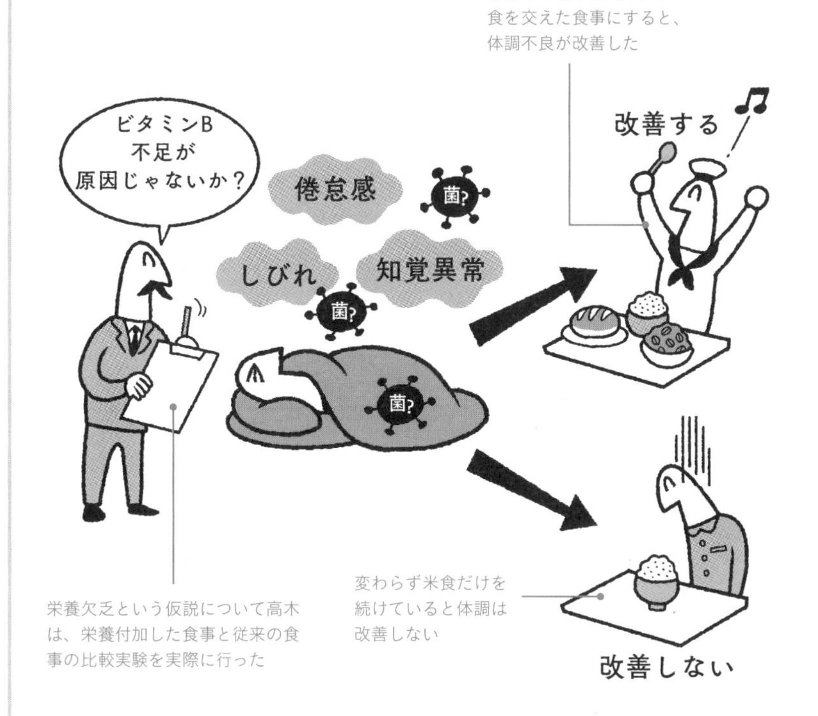
米だけでなく麦食やパン
食を交えた食事にすると、
体調不良が改善した
改善する
ビタミンB
不足が
原因じゃないか？
倦怠感
菌?
しびれ
知覚異常
菌?
菌?
栄養欠乏という仮説について高木
は、栄養付加した食事と従来の食
事の比較実験を実際に行った
変わらず米食だけを
続けていると体調は
改善しない
改善しない

かつて国民病とまで称された「脚気」という病気がある。当時、脚気は有効な治療法がない一方で原因も不明であったが、海軍軍医であった高木兼寛は、多くの患者を出した兵士の状況をボトムアップ的に細かく調査し、コメ食ばかりの兵隊食の質による栄養欠乏が脚気の原因であると推定した。しかし、その主張は長らく医学界・科学界には受け入れられなかった。当時の医学界では脚気の原因として「脚気菌」という未知の細菌説が唱えられており、森林太郎（森鴎外）をはじめとした日本の医学界では「コメが悪いはずがない」という思い込みのもと、海外の権威の意見などがトップダウン的に受け入れられていたのである（松田2002）。

大論争の果てに、高木の説得を受けて玄米や麦を取り入れ食事改善を行った海軍とコメ食を徹底していた陸軍とで脚気罹患率が大きく異なり（海軍のほうが圧倒的に低かった）、高木の主張の正当性がようやく認められることになった。現在では脚気の原因はビタミンB不足であることが「理論的」にも判明しているが、データによって理論（脚気菌原因説）が覆されるまでには、40年以上もの長い時間がかかったのである。

5 正しさ「らしさ」を考えよう

「個人的な体験」や、「信用度の低いデータ」では、万人に適用できる客観的な事実にはならない

例えば何かを食べた時に、「実際に体調が悪くなること」と、「食べると体調が悪くなることを示す研究や論文があるということ」は、事実としての次元が違う。

科学と疑似科学の線引きが不可能だからといって積極的に「科学と疑似科学の区分は不要である」とするのは問題だ。特に健康に関わるような分野では「科学をうたうこと」が商業上のアドバンテージになるため、健康食品などであやしげな疑似科学商法が問題となっている。

そうした社会的な要請もあり、科学と疑似科学の線引き問題については段階的に判定するような方法が取り組まれつつある。これは、多面的に個別の具体例の科学性を評価するという趣旨であり、学術的な厳密性よりも実用性を重視する試みといえる。たとえば、哲学専門のオンライン百科事典「スタンフォード哲学百科事典」[※1]において疑似科学を判別するためのチェックリスト（1・権威を信じる

※1「Stanford Encyclopedia of Philosophy」

「科学」と「疑似科学」の間

科学と疑似科学は明確な線で分かれているのではなく、実際にはある程度のグレーゾーンが広がっている。そのグレーな段階を見極められることがむしろ重要だ。

疑似科学　未科学　発展途上の科学　科学

【科学】	科学を特徴づける諸条件の評価が全体にわたって高いか、または部分的に低評価の条件があっても、ほかの高評価の条件によってそれを埋め合わせられている。
【発展途上の科学】	科学を特徴づける諸条件の評価が全体にわたって高いとまでは言えないが、部分的に高評価の条件がある。暫定的には科学とみなせるが、今後の研究によって科学とは言えない状況になる恐れも残される。
【未科学】	科学を特徴づける諸条件の評価が全体にわたって低いが、部分的に高評価の条件がある。今のところ科学とは言えないが、将来にわたって研究を積み重ねた結果、科学と言える段階に進む可能性もある。
【疑似科学】	科学的な言説をもっているにもかかわらず、諸条件の評価が全体にわたって低い。科学といえる段階から遠い状態にあり、科学に至るためには今後かなりの知見を積み重ねなければならない。この状態では社会への適用を控えたほうがよい。

こと、2・繰り返せない実験、3・より分けられた事例、4・テストへの消極的態度、5・反証情報の無視、6・組み込まれた言い訳、7・代替案なしの説明の放棄）が紹介されていたり、科学哲学者の伊勢田（2019）によって①ベイズ的更新によるふりわけ、②若干不正確な要約報告、という手法によるプラグマティック[※2]なアプローチが提案されていたりする。

本書でも以降の章で、「理論」「データ」「理論とデータ」「社会」という四つの観点から疑似科学性を推し量るポイントを解説する。これにより、たとえば牛乳は人体に有害だとしている研究や論文があるということと、本当に牛乳は有害であるかどうかの違いを認識してもらえればと思う。多角的かつ段階的に判断することで、科学的な正しさ「らしさ」の奥深さが見えてくる。

※2 哲学上の立場である「プラグマティズム」とは異なり、ここでのプラグマティックは「実用性を重視した」という意味で使われている。

疑似科学を見抜くための4つの観点

著者らは、ポパーやクーンによる科学哲学上の議論などを参考に「理論」「データ」「理論とデータ」「社会」といった四観点を、疑似科学を見抜くためのポイントとして考案し、活用している。

物事のプロセスが説明できるかという「理論」
仮説に基づいた結果があるかという「データ」
理論とデータがきちんと関連しているのかという「理論とデータ」
未来
経験としての効果や世間での受け入れられ方などの「社会」
商品
商品
商品

科学で扱う領域によるばらつき

著者らが実践している4つの観点に基づくと、科学が究明対象としている諸領域においても、その実情の評価にはグラデーションがあることがわかる。もちろん、疑似科学であるから価値がなく（ダメ）、科学だから価値がある（よい）ということではない。むしろ、そうした短絡的な評価そのものが科学的とはいえないわけだ。

理論
データ
「理論」と「データ」の両方が揃っているのは「物理学」「化学」などの分野
理論
データ
「データ」よりも「理論」が揃っているのが「経済学」などの分野
理論
データ
「理論」よりも「データ」が揃っているのが「工学」などの分野

column
科学相対主義とソーカル事件

科学も宗教のように一つの思想体系とみなすことは不可能ではない。しかし、文明社会における科学の実績を鑑みると、科学の成果が重要な領域で「相対主義」を持ち出し、科学を宗教などの思想体系と等価値的にみなすのはやはり適当とはいえない。相対主義とは、「ある主張の真偽や成否は絶対的には決まらず、文化的、社会的な背景に応じて決まる」とする考えの総称である。たとえば「肉を食べるときには必ずナイフとフォークを使うべきか?」に絶対的な答えはないのと同じように、科学も一つの見方に過ぎないなどと、主義主張を等価値的に扱う考え方を指す。相対主義においては科学も神話も「疑似科学」も、それぞれが適切な文化的・社会的背景のもとでは「真実」であるとみなされる。確かに、芸術などの分野では相対主義はある意味重要な考え方の一つであるが、科学領域において過度な相対主義は好ましいとはみなされない。このことがあらわになったのが「ソーカル事件」と呼ばれる出来事である。

1990年代、主にフランスの現代思想界隈において、ポストモダンと呼ばれる批評アプローチが流行した。ポストモダンはモダニズム（もとは建築用語である）に対する反動から、客観的現実や真理、社会進歩、道徳、科学などを批評対象とし、知識の体系やその価値を、政治的、文化的な言説、ヒエラルキーの産物などとみなして批判する思想運動であったといえる。

物理学者のアラン・ソーカルは、ポストモダンを標ぼうする現代思想論文のなかで、科学に関する専門用語がデタラメに使用される一方で、そうした専門用語の使用によって読者を煙に巻いたり、科学的な事実や論理が軽視されていたりすることを問題視した。そこでソーカルは、ポストモダン思想の体裁をとりつつ科学用語や数式をデタラメにちりばめた無意味な論文を作成し、これをポストモダン思想専門の学術誌に送った。すると、当該論文はそのまま受理・掲載されてしまった。

ソーカルはその後、自分の論文がでたらめな内容だったことを暴露し、それを見抜けず掲載した論文誌を批判するとともに、ポストモダン思想界隈が自分の論文と同様に、科学用語を「権威付け」のためにデタラメに使用していることを指摘した。このことは世界的に大きな反響を呼び、ソーカルの指摘に対する賛否がさまざまに議論された。ソーカルの指摘に対する賛否は置いておくとして、この件が科学相対主義の「あやうさ」を暴露したことは確かなように思えるが、どうだろうか。

第2章

疑似科学の「理論」の見抜き方

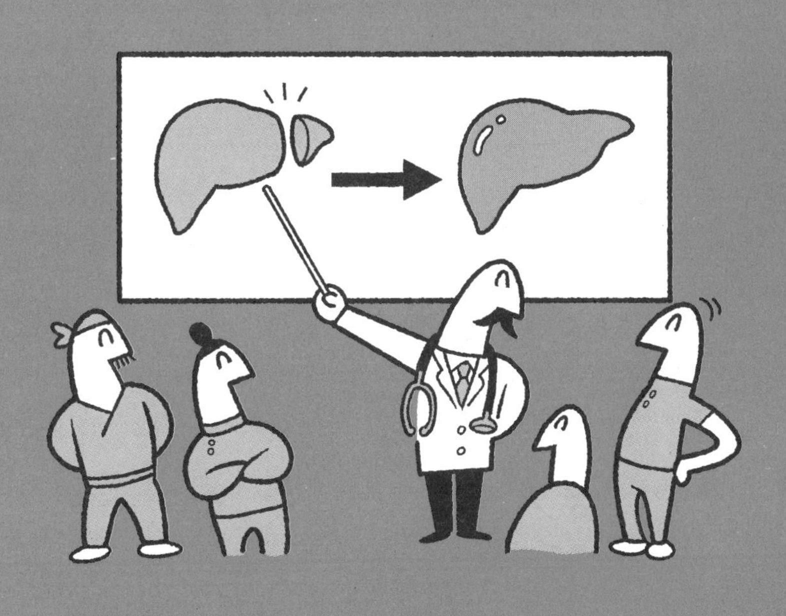

疑似科学を見抜く最初のポイントとして「理論の観点」を解説する。
疑似科学性の疑われる対象では、定義が不明瞭であったり、ほかの知見との整合性を欠いたりといった、理論の面での問題が散見される。説明が後付けだったり、万能の効果を主張していたりする場合には、特に注意が必要だ。

6

矛盾だらけの幽霊「理論」

壁を通り抜けるのに壁を叩ける

幽霊は壁をすり抜けているのに
叩いてもいる。そもそも、幽霊
とは何かの定義もあいまいだ
幽霊は、その定義が曖昧
だからこそ霊感商法など
にも利用されがち

かつては幽霊も、積極的な科学の究明対象であった。たとえば1882年に英国ロンドンで心霊研究協会（Society for Psychical Research）が設立され、以降、学術論文誌が発刊され、研究発表もなされており、現在でも研究が進められている。一方、近年では霊感商法やカルト宗教に利用される向きもあり、社会的な問題性もはらんでいる対象といえるだろう。

野暮かもしれないが、「幽霊」について科学的な理論の面から考えてみたい。「魂」とされるものが死後も存続し、浮遊して生者の世界と関わったときに、幽霊と見なされる。幽霊の目撃、霊能者による霊視や霊界通信、心霊写真など、幽霊の存在が主張されることは日常でも多いのではないだろうか。

さて、幽霊については「壁をすり抜ける」との性質を前提にして語られることがある一方、「誰もいない部屋で壁を叩く」と説明されることもある。「壁をすり抜ける」と「壁を叩く」という相反する物理現象が幽霊側の都合で使い分けられて解釈されるのは、論理的に矛盾している。「状況によって幽霊が自分で決められる」などの説明は、いわゆる「後付けの説明」なので、「どういう条件であ

幽体離脱は錯覚

幽体離脱とは「肉体から意識だけが抜け出して宙に浮き、上から自分の身体を見おろすような体験」で、かつては自分の魂が抜け出して幽霊になった状態と解釈されていた。実際にはヒトの脳が知覚する際に生じる一種の錯覚であり、VRなどを用いて人工的に幽体離脱体験を作ることも現在では可能になっている。

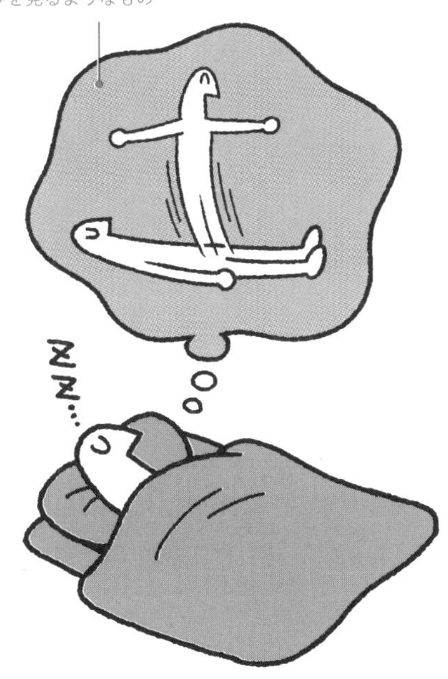

幽体離脱は単なる錯覚で、
夢を見るようなもの
ZZZ…

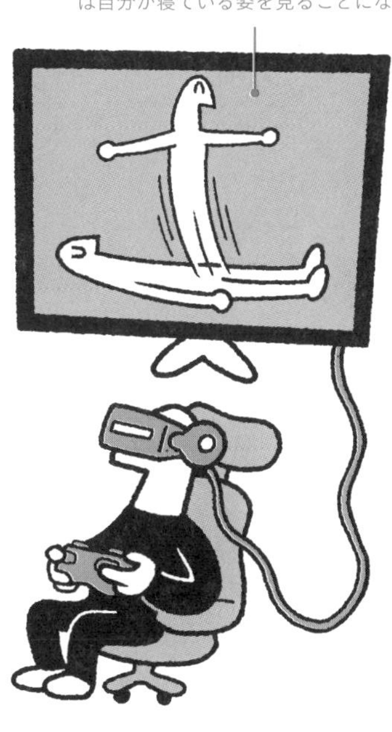

VRでの幽体離脱の疑似体験は、実際には自分が寝ている姿を見ることになる

れば壁を叩く／すり抜けるのか」が検証されなければ科学的とはいえないのだ。

また、幽霊は宙を浮遊する（と思われる）ことや、魂に重さがあるなどの説もあり、幽霊の素材が物質なのかそうでないのか、物理学との関係性が不明瞭なまま放置されていることも指摘できる。

物理学に限定しないまでも、幽霊理論は幽霊の場合にしか適用されず、これを肯定するには膨大なほかの科学的知見を修正しなければならない。科学的な理論としては、内部での論理的な一貫性が、外部では他の科学的知見との体系的な整合性が欠けているといえる。それに、われわれの日常生活の大部分では幽霊とのかかわりがないため、幽霊理論は特別なときにだけ起きる特殊な現象の説明であり、理論的な普遍性に欠けている。幽霊理論は、こうした評定ポイントを学ぶ格好の教材といえるだろう。

臨死体験は生理学的現象?

瀕死の状態になったときに、お花畑に行ったり、死んだ祖先と再会したりする一連の体験を「臨死体験」という。これは特定の文化や宗教にかかわらず報告されており、脳が機能を停止しかけた、あるいはそこから回復に向かうときの生理学的な現象と推測されているため、霊界を見てきたと素朴に考えるのは問題がある。

確かに霊界が存在しないとは断言できないが、存在証拠が希薄である。もし霊界に死者の魂が存在するならば、困ったときに祖先の魂が来訪して助言を与えてくれることが、もっと頻繁にあってしかるべきではなかろうか

「臨死体験」は全容解明までは至っていないとの指摘もあり、脳内物質の影響や脳血流、脳の酸素欠乏などの複数の説が混在している

幽霊体験は錯覚で説明できる

壁のシミが人の顔に見えたりすることを「パレイドリア」という。幽霊が見える要因の一つと考えられるが、これは、対象者の記憶上の顔パターンと壁のシミパターンが偶然一致し、記憶上の顔があるかのように見える錯覚である。

壁のシミや木の木目などが犬の顔に見えることは、よくある錯覚の一つ

「パレイドリア」によって想像世界の産物が現実世界で実在しているかのように知覚するわけだが、幽霊体験もこの種の錯覚である可能性が高い

科学に大事なのは「定義」!

まずは対象がどのような物なのか、それを定義しなければ議論は始まらない。例えば幽霊は、壁を叩けるしすり抜けることもできるから矛盾だらけ。幽霊の存在を議論したいならば、まずこれらの矛盾を片付けてほしい。

幽霊の理論には「論理性」「体系性」「普遍性」がそれぞれ足りない

column

心や意識は量子論で解明できるか?

量子論は、20世紀初頭に物質を構成する最小物質である光や電子などについて研究が進んだ段階で判明した物理理論である。それまでの物理学と根本的に異なる世界観を提示したため、量子論以前の物理学を古典物理学、量子論を含めた物理学を現代物理学と呼ぶこともある。量子論に基づくと物理実験の結果を正確に予測することができ、レーザー発光装置などにも応用されている。

量子論は、それまで波と思われていた光が粒子の性質をもつことと、それまで粒子だと思われていた電子が波の性質をもつことが判明したことに端を発する。万物の最小物質は波の性質と粒子の性質を兼ね備えている量子で、そのうえで「観測」という行為が重要であり、量子を観測する前は波の性質をもち、観測した直後は粒子の性質をもつのである。

量子論が描写する実在の解釈はこのように理解が難しい一方、ヒトの心の働きや意識、魂などと量子論を結びつける言説もあるようだ。しかし、そうした主張の多くは実際の量子論の議論から飛躍したものとなっており、現時点では疑似科学的であるといえるだろう。そもそも、正統的な量子論においても「観測とは何か」が大きなミステリーになっており、波の状態から粒子状態に変化させる過程は、実はまだよくわかっていないのだ。量子論の数式モデルは非常によく検証されており、現に使えているが、それがどのように現実と対応しているのかはまだ不明瞭なのである。

つまり、量子論にミステリーがあるからといって、心や魂、ましてや幽霊が、量子論によって合理的に説明できるわけではない。

7 ホメオパシーは効くの？

有効成分は「1那由多分の1」!!

効果を過信すると病態は悪化し、
危険が確実に近づいてきてしまう
元気になったね！
10の60乗分の1
依然として悪いものは体に残っているが、プラセボ効果などで気分だけは向上することも

ホメオパシーでは、希釈を繰り返せば繰り返すほどレメディーの効力が高まるとうたわれているが、その根拠は不確かである。また、治療中の症状の悪化などは「好転反応」と称し、将来の改善が期待できる一時的な悪化として正当化されている。これではどのような病態変化があってもうまく説明できてしまい、反証不可能な理論になっている。

ホメオパシーという治療法を聞いたことがあるだろうか。日本ではメジャーではないが、欧州を中心に、古くからある民間療法として知られている。簡単に説明すると、「対象成分を極限まで薄め、もとの成分がほとんど残っていない状態まで希釈した液体を砂糖玉に組み込んだ丸薬（レメディ）を服用し続け、その成分に関連する疾患を緩和する薬効を得る」との治療法である。18世紀末、ドイツの医師サミュエル・ハーネマン（1755〜1843）によって創始、体系化された。

ホメオパシーでは、「類が類を治療する」ことを基本原理としている。ホメオパシーで用いられる一般的なレメディ（30C）では、もとの成分・物質を実に1那由多（10の60乗）に希釈されている

自然治癒力は民間療法の専売特許か？

「対症療法」と揶揄されることもある現代医療への不満から、ホメオパシーに限らず多くの民間療法では「自然治癒力」が重視されているようだ。しかし、実はいわゆる西洋医療でも自然治癒力は大いに活用されている。

肝臓の場合、仮に全体の3分の1まで切除したとしても、自然治癒力で１年ほどで元の大きさに戻る
たとえば生体肝移植など、人体の再生能力・自然治癒力を応用した治療法は多い

が、これに元の物質の分子が一つでも含まれている確率は、10億分の1の10億分の1の10億分の1の10億分の1となる。これでは「ただの砂糖玉」であるとしたほうが合理的であり、もとになる成分が含まれていない状態でも薬効が存在するとの主張は、科学的論理性に乏しいだろう。

ホメオパシーが広まった当時はいわゆる西洋医学が未熟であり、「何もしない方がむしろ症状が回復する」との状況でさえあった。そのため、ホメオパシーが治療成績をあげているようにみえたようだ。一方、人間にはもともと一定の自然治癒力があるため、非物理的なメカニズムを想定せざるを得ないホメオパシーを現代で採用するには、もとの自然治癒力以上の効果が期待できる必要がある。現代の科学的な理論やデータからすると、疑似科学と評価するのが妥当だろう。

「効果が無い」ことが治療の近道だった時代

ホメオパシーが普及した18〜19世紀では、医療の治療成績はとぼしくなく、患者を悪化させるだけの「治療法」もまかり通っていた。逆に、物理的には「ただの砂糖玉の摂取」であるホメオパシーは、少なくともその治療によって症状が悪化することはほとんどなかったため、一定の支持が得られたようだ（服部1997）。

驚異の治療法「武器軟膏」

近代までは、現在の知見からすると疑問に思われるような治療法がかなりあったようだ。たとえば、薬を傷口ではなくて傷つけた武器のほうに塗ることで治療効果が得られるとする「武器軟膏」と呼ばれる治療法なども実践されていた。

衛生管理が悪い当時の医療水準では、傷口に何か治療をして雑菌を塗布するよりも何もしないほうがマシだったということから発した迷信だった
これも治療が逆効果ということ

効果がある裏側に膨大な「効果なし」

元の物質の分子が１つでも含まれている確率は10億分の１の10億分の１の10億分の１の10億分の１。何度ガチャを引いてもたぶん当たらない。

もし効果があったとしても、その陰にある失敗の数は膨大。肝心の効果も再現性は低いだろう

column

プラセボ効果

自分自身に暗示をかけることでも、現実になるかも?

プラセボ効果（プラシーボ効果）は「有効成分が含まれていない偽薬によって、症状の改善や副作用が出現すること」を指す。「薬を飲んだ」という思いや行為によって、それがたとえニセモノであったとしても心身に影響するのである。

よく勘違いされがちだが、「これは効く薬だ」などと強く思い込まない場合でもプラセボ効果は働き、また、あらかじめ「プラセボ効果とは何であるか?」といった知識を有している場合であっても働く。非常に強力な効果である。

ちなみに、プラセボ効果の度合いを最初に示した研究「The Powerful Placebo」では（Henry & Beecher 1955）、プラセボ群1082例のうち、実に35%にプラセボのみで心身への効果が認められたことが報告されている。

8

放射線で健康？ラジウム温泉の謎

温泉はさまざまな効果あり

科学的因子には、含有成分による効果がある
「温泉地に行くこと」による心理効果を指す転地効果もある
物理的因子には、温熱効果、浮力による効果、静水圧による効果などがある
ペロッ
ポカポカ…
到着～

温泉の効果効能は大きく、温泉の物理的因子による効果、化学的因子による効果、転地効果に分けられる。アトピー性皮膚炎など、単なる入浴と区別した炎症防止効果についても研究が行われているが、放射能泉のように、十分な検証のないままに効果の主張がされているものもある。

科学的な理論を見極めるためには他の科学的知見と整合しているかという体系性を考えるのが重要だ。たとえば「温泉」においては、酸性泉、マンガン、ヨウ素含有泉の培地では雑菌が増殖しないことなどがアトピー性皮膚炎に対して有効だと説明され、他分野の知見からみても無理のない説明である。

一方、ラジウム温泉やラドン温泉などの放射能泉というものがある。放射能泉は痛風、リウマチ、自律神経の調整などに効果があるとしているが、そのメカニズムには、「何らかの有害性を持つ要因について、有害となる量に達しない量を用いることで有益な刺激がもたらされる」という「ホルミシス効果」が前提とされており、議論が分かれている。

意識しないが、実はわれわれが日常生

放射線が良いとするホルミシス効果

温泉の効果に限らず、低線量の被ばくが生体に与える影響については不明なことが多い。被ばくによる過剰な心配は必要ないとはいえ、一方でホルミシス効果がヒトを対象として十分に立証されているわけでもない。そのため、安易にホルミシス効果をうたった情報には注意が必要だ。

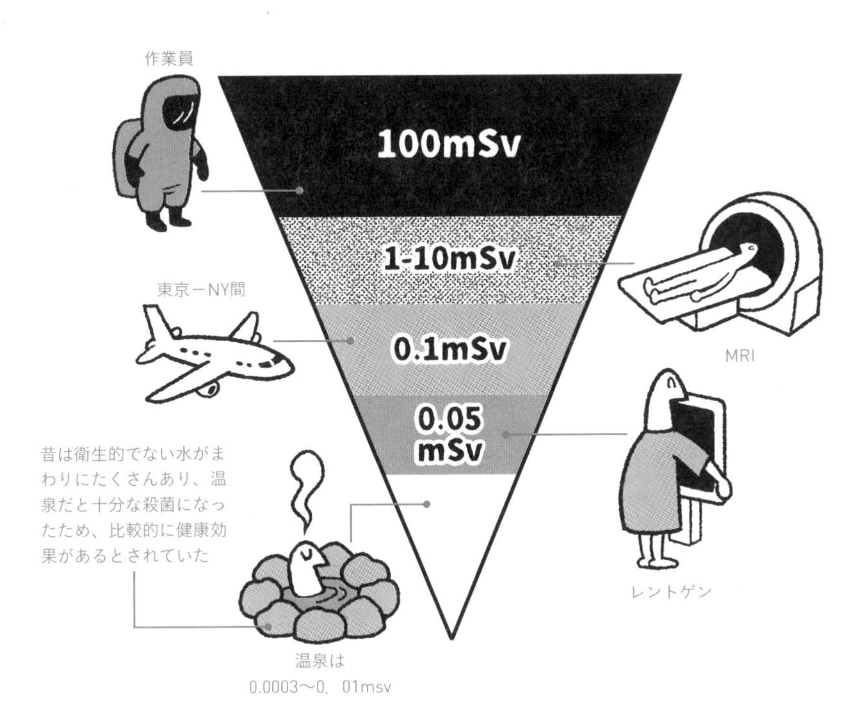

活を送る中でも一定量の放射線を浴びている。たとえば日本では、ふつうに暮らしているだけでも年間2mSv（ミリシーベルト）程度の放射線を被ばくしている。加えて、胸部レントゲン検査やCTスキャン、東京とニューヨークを飛行機で往復するだけでも被ばくする。ラドン・ラジウム温泉は場所にもよるが、一度の入浴でせいぜい0・0003〜0・01mSvの被ばく量のため、毎日入っても健康被害が生じることはまずない。

一方、健康効果が得られるかというと、また話は別である。ホルミシス効果は、1980年代に発表された論文の理論がもとになっているが（Luckey 1982）、今日に至るまでその仮説が十分に検証されたとは言い難い。どういう条件であればホルミシス効果が得られるか、といった理論構築とデータによる検証とがなされる必要がある。

温泉は禁忌とされていた

昭和57年の「温泉法」の規定では、妊婦は温泉に入ることは禁忌として扱われていた。しかし、明確な科学的根拠がないとして平成26年の改訂にて撤廃されている。このように、検証のない仮説（理論）がその後きちんと却下されていることも、科学の営みにおいては重要である。

検証され仮説が覆ることこそ「科学的」

科学は検証し続けることで変化してくもの。
検証のなかった仮説が却下されることもある

温泉成分で認められている効果

温泉のアトピー性皮膚炎への有効性、動脈硬化性閉塞症などについては、それぞれ酸性泉＋マンガン＋ヨウ素含有泉の培地では雑菌が増殖しないこと、塩類泉では保温が認められ、二酸化炭素、硫化水素による血管拡張作用が認められることなど、理論面も十分に説明されている。

泉質	浴用	飲用
単純温泉	自律神経不安定症、不眠症、うつ状態	―
塩化物泉	きりきず、冷え性、うつ状態、など	胃炎、便秘
炭酸水素塩泉	きりきず、冷え性、など	胃十二指腸潰瘍、逆流性食道炎、糖尿病、痛風
硫酸塩泉	塩化物泉に同じ	胆道機能障害、高コレステロール血症、便秘
二酸化炭素泉	きりきず、末梢循環障害、冷え性、自律神経不安定症	胃腸機能低下
含鉄泉	―	鉄欠乏性貧血
酸性泉	アトピー性皮膚炎など、糖尿病	―
よう素泉	―	高コレステロール血症
硫黄泉	アトピー性皮膚炎、湿疹など	糖尿病、高コレステロール血症
放射能泉	痛風、関節リウマチなど	―

成分は関係なくても「温泉」

日本では、「温泉法」という法律に基づいて温泉が定義されている。温泉法では、①湧出時の泉温が25度以上、②指定された特定の成分や溶存物質の総量が規定以上、のいずれか一つを満たすと温泉になる。そのため、水蒸気やガスなどの液体状態でないものも温泉に含まれる。

「25度以上」という基準も世界統一基準ではない（たとえば台湾の温度基準は30度以上である）。火山国日本では、数千メートル掘って地下水脈に当たると大抵25度以上の水が出てきて、単なる地下水でも「天然温泉」をうたえるのだ

検証がまだ十分でない泉質も結構ある

「温泉法」の基準で指定されていても、温泉とされるものは実は多様。ホルミシス効果など、科学的には微妙な理論が前提になっていたりもする。

暖かいお湯に浸かるだけでも健康効果はあるのは確か

9 デトックスで排出！って何を？

どこから、どうやって出すのか曖昧

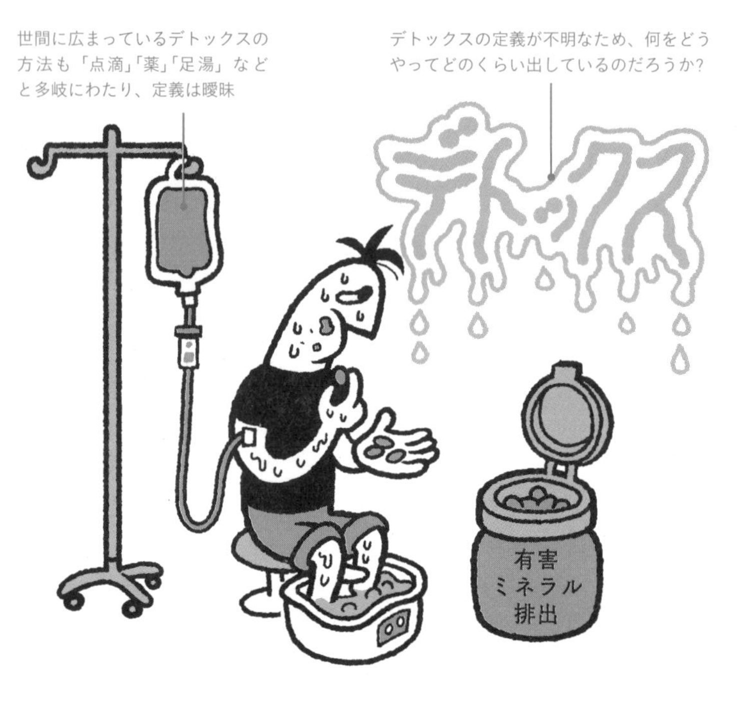

世間に広まっているデトックスの方法も「点滴」「薬」「足湯」などと多岐にわたり、定義は曖昧
デトックスの定義が不明なため、何をどうやってどのくらい出しているのだろうか？
デトックス
有害
ミネラル
排出

デトックスの定義が不明瞭で、毒素が指す意味をつかむのは難しい。「体から排出すべき不要なもの」という定義だと、条件によっては通常の排便や排尿も当てはまってしまう。また、「過剰な物質を排出する」といっても、過剰とみなす境目がわからず、何をどのくらい排出すればよいのかが決められない。

デトックスとは、体から老廃物や不純物を排出することで健康を実現しようという方法である。ただし、アルコール依存症や薬物依存症における薬物排出を目的とした、医療としてのデトックスとは区別される。また、重金属の排出を行うことで治療効果が得られるとする「キレート療法（キレーション療法）」とも異なる。

さて、「体にある毒素を排出する」などの意味として語られるデトックスだが、そもそもここでいう「毒素」が具体的に何を示しているものか不明であるという、理論としての致命的な欠陥がある。デトックスは概念、方法の整理や定義づけがなされておらず、用語として不明瞭な状態である。多くの場合、解毒を意味する「detoxification」をもとにしたイメー

老廃物の排出とはこういうこと

よく知られているように、腎臓には血液をろ過し、体の中に溜まった老廃物や水分、取り過ぎた塩分などを尿と一緒に体の外へ出してくれる働きがある。そうした人体において老廃物を排出する各器官の働きとデトックスは何がどう異なるのかという説明が必要である。

人体に備わった老廃物の排出方法以外に、どのように老廃物を体外に出すのかは謎
アンモニア
クレアチニン
塩分
これが正しい「老廃物の排出」

ジ先行による印象形成であり、何をどのように排出するのかという点については全く曖昧なのである。毒素=有害ミネラルとする説もあるが、有害ミネラルとされるものがどの程度排出されればデトックスなのか、といった量の観点からの議論はないようだ。

ちまたでは足湯によるデトックス効果をうたう高額製品が販売されているが、「足湯につかること」と「デトックス」との違いが説明されておらず、足湯の効果をデトックスと言い換えているだけのようだ。また、足湯デトックス製品では、お湯に足をつけることで水が濁るという演出をするケースもあるようだが、「水の色が濁ること」は「毒素を排出していること」を検証しているわけではない。販売促進のための演出であり、「食塩水に電極の鉄を溶かす」などの単純な化学反応を利用しているケースが多い。

「足湯でデトックス」は効果が不明

足湯の効果については、たとえば「1日30分程度の足湯を１か月程度継続することによって高齢者の睡眠時間や質が改善する」などのデータがランダム化比較試験によって示されている。しかし、これは単に入浴と同等の効果ともみなせる。

データが少ない？
温まったのが原因？

足湯デトックスの効果だとされているものは、入浴と同じような効果。あえてデトックスと呼ぶ必然性が見当たらない

デトックスの定義なんて何もない

とにかく老廃物を体外に出せば健康だ! という「デトックス」。何となく印象が悪そうな「老廃物」というだけで、何を出せばよいのか、どうやって出しているのかは、結局はわからないまま。

デトックスするぞ！
そもそもの定義も曖昧なので、何が体外に出ているのかは、誰もわからないのかも知れない

column
有害ミネラルってなに?

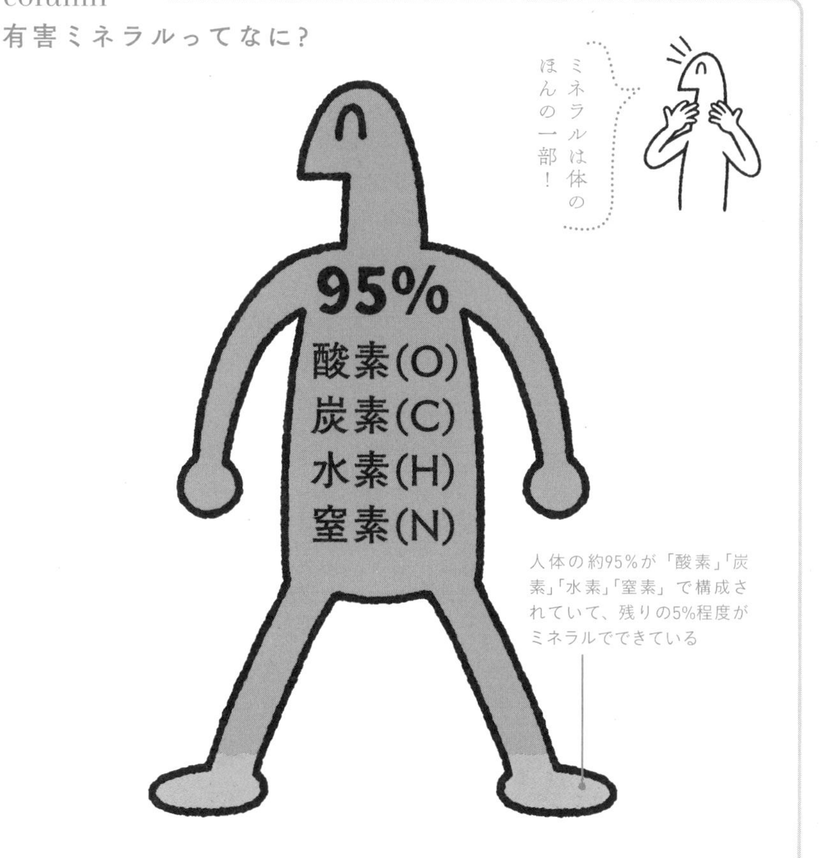

ミネラルは体のほんの一部!
95%
酸素(O)
炭素(C)
水素(H)
窒素(N)
人体の約95%が「酸素」「炭素」「水素」「窒素」で構成されていて、残りの5%程度がミネラルでできている

デトックスで排出される毒素を「有害ミネラル」と位置付けている商品などもあるようだ。ここでいう有害ミネラルは、アルミニウム・ヒ素・カドミウム・水銀・鉛などを指すようであるが、この用語・分類は科学的に議論され、定義されたものではない。そもそもミネラルとは、生体を構成する主要な四元素（酸素、炭素、水素、窒素）以外のものの総称であり、そのなかでヒトの体内に存在し、栄養素として欠かせない16種類を必須ミネラルという。ミネラルというフレーズだけ聞くと「健康に良さそう」と連想しがちであるが、実際は四元素以外の114種類の元素すべてがミネラルであり、必須ミネラル以外でも、不足したり過剰に摂取したりした場合には、身体に不調が生じることがある。

たとえば「ヒ素」は、確かに毒性が高く中毒死の危険性があり、逆に欠乏症を起こすことはほとんどないとされている。しかし、海産物やコメをはじめ、微量なヒ素が含まれている食品は実は多くあり、微量なヒ素は誰もが毎日摂取している。また、ヒ素やアルミニウム、鉛などは非常に微量ながら人体を構成している元素であり、人間の体の一部なのである。

過去のさまざまな事件や事故による健康被害が人々の印象に残り、そうしたイメージが先行して有害ミネラルという分類がなされていることがうかがえる。しかし、たとえ身体に必要なミネラルであっても、適切な量を摂取することが重要で、不足しても摂り過ぎても身体に悪影響を及ぼすのだ。

意味のないブルーライトカット

ブルーライトから
目を守る！
目の疲れ
軽減！

ブルーライトを遮ることによる健康効果もデータ不足

ブルーライトとは可視光線のうちの波長の短いもの(460nm〜500nm)。自然にありふれる光でもある

ブルーライトによる心身への悪影響の言説に基づき、それをカットするフィルターなどが販売されているが、科学的な理論やデータが十分にない状態である。食品や医薬品と違い、フィルターなどの工業製品の広告には規制が及びにくく、それがこうした実態を下支えしてしまっているようだ。

10

ブルーライトの説を徹底検証！

「ブルーライトが目に悪い」といった主張がよく聞かれ、それをカットするフィルターや眼鏡などが販売されている。ただ、ここでいうブルーライトとはそもそも何を意味するのだろうか。これも定義の問題が深刻だ。

素朴に考えるとブルーライト＝青色光であり、これは可視光線のうちの波長の短いもの（460〜500nm）を指す。一方、波長380〜530nmの光のことを高エネルギー可視光線※と呼び、これをブルーライトと定義する向きもあるようだ。いずれにしても、なぜこの部分だけが目に悪いのかということは十分に説明されておらず、データによる検証もほとんどないのが実態だ。ブルーライトカットによる睡眠の質や眼の疲労への影響についても、メタ分析やランダム化比

※ HEV light, High-Energy Visible light

ブルーライトは太陽光の方が多い

LED等に含まれるブルーライトよりも太陽光に含まれるブルーライトのほうが実はかなり多いため、特定の工業製品の使用時のみブルーライトをカットすることの妥当性も説明されなければならない。

なぜかブルーライトだけを問題視するものばかりで、可視光線のうち青色よりもさらに波長の短い紫色については悪影響を問題視するような情報はほとんど見当たらない

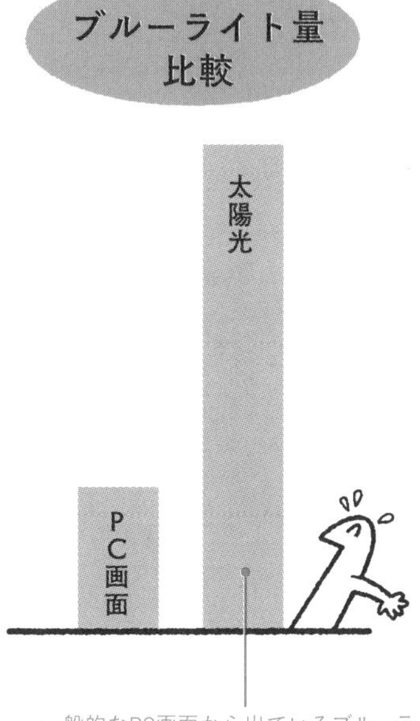

一般的なPC画面から出ているブルーライトよりも、圧倒的に多い量のブルーライトが太陽光には含まれている

較試験（RCT）などの信用度の高いデータでは、肯定的な結果と否定的な結果が混在しており、研究数や被験者数もごく少数しかない（Silvani, et al. 2022）。

あるいは、前述のHEVと定義上矛盾せず、可視光線より波長の短い紫外線を含んだ形で「ブルーライト」とした場合、紫外線を多量に浴びると身体に悪影響を及ぼすことはよく知られているため、説明自体にそれほど無理はないかもしれない。しかしその場合、スマホやPC等から紫外線は出ていないため、今度はフィルターの必要性に疑問符がつく。

なお、青色光による心身への影響については逆に「犯罪防止になる」「自殺が減る」「青色で字を書くと暗記しやすい」など、「青色をよい」とする説もみられる。しかし、これらは逸話的な話に留まっていたり、海外の情報が誤って伝わったため生じたものである。

信用度の高いデータはなし

調べた限り、ブルーライトおよびそのカットの有効性を示す信用度の高い科学的データは見当たらなかった。別項で詳しく解説するが、ランダム化比較試験や盲件法などのデータの信頼性を担保するような研究デザインや被験者数が少ないため、現時点で製品として応用できる段階とは言い難いだろう。

眠気については肯定的にみえる研究結果もあるが、波長が短い光のほうがまぶしさを感じやすいため、ごく当たり前の結果ともいえる。加えて光を浴びると眠れなくなるのは当たり前なので、ブルーライトに限定した話ではない

「“青”で記憶できる」も根拠なし

科学的な根拠があるうえでの説ではなく、実際、それを検証した実験において否定的な結果が示されている。青色光による犯罪抑止効果などについてはコラムを参照されたい。

青色のペンなら
覚えられる！
・・・・

「青色」のイメージでさまざまな効果が宣伝されているが、どれも立証されていない

検証の有無を見極めろ！

体に悪い効果も良い効果もあるとされていたブルーライト。さまざまな製品にもなっているが、きちんとした検証がなされているとはいえない。

column

「青色光で犯罪は減る」のか？

犯罪が
減っている！
青色の街灯に犯罪抑止の効果があったのではなく、明るいところから別のところに逃げただけで、犯罪者の数は変わっていなかった

「街灯などに青色光を使用すれば犯罪が減る」との説を聞いたことはないだろうか。青色光による心理・行動面への影響を示したとする出来事であるが、実はこれは、海外における話が「誤った」形で日本に伝わったものである（須谷2008）。

かつて、イギリスのグラスゴーという治安の悪い都市において、住民の安全や環境を改善するために街灯を青色に変えた。その理由は、麻薬常習者が薬物を注射するための腕の静脈を見えにくくさせるためであった。実際、この取り組みによって麻薬関連の犯罪数が減ったようだが、犯罪数全体が減ったのではなく、もともといた麻薬常習者がほかの地域に移動したに過ぎないようだ。

しかし、日本のテレビ局がこれを「青色の街灯にして犯罪が減った」と報道し、いくつかの自治体などが類似した取り組みを行った。そうした取り組みが肯定的に伝えられた結果、あたかも青色光による心理効果で犯罪が減ったかのように「誤って」広まったのである。

もちろん、本当に青色光の心理効果で犯罪が減る可能性はあるし、「こうした情報が社会的に広まったことによる心理効果」によって犯罪が減る可能性もあるかもしれない。ただ実際のところ、青色光による犯罪抑止効果のメカニズムは明確でなく、それを示す科学的なデータはほとんどない。なお関連する話として「駅のホームを青色照明にすることで飛び込み自殺が減る」との説もあるが、こちらも発端は前述の話のようで、現在のところ科学的根拠はほとんどない。

第3章

疑似科学の「データ」の見抜き方

疑似科学を見抜くポイントとして「データの観点」は特に重要だ。さまざまなバイアスに注意しつつ因果関係を見極めることは科学リテラシーの大きな目標だ。データの信用度は強弱で捉えることが大切で、「エビデンス」という言葉に惑わされないような読解力を身につけていきたい。

11

図書館をつくると犯罪が増える？

疑似相関に注意しよう

「図書館の増加」と「犯罪の増加」は因果関係にはなく、どちらも「人口」が増えることで起こりうること

原因→結果といった因果関係をきちんと推定するのは実はかなり難しい。さまざまな要因が影響しうるからだ。特にヒトに対して、疑似相関ではなく真の因果関係を検討するには「実験」が重要で、それ以外の要因を極力排除できるような研究デザインが求められるのだ。

Aが原因となってBという結果になる、といった「因果関係」の究明は科学の重要なミッションであるが、そのためには、真の因果関係の背後に隠れる「疑似相関」を考えるのが大切だ。

たとえば、「図書館が多い街ほど、犯罪件数も多い。ゆえに、街に図書館をつくったら、犯罪が増えるに違いない」といった因果関係を前提とする主張があったとする。この場合、図書館が原因となって犯罪という結果が招かれていることになるが、果たして本当だろうか。

実はここには、「人口」という隠れた要因がある。人口が多い街では確率的に犯罪件数も多くなるし、一方で図書館の数も相対的に多くなることが想定できる。「図書館」と「犯罪」は相関関係（2つの事柄が関わり合う関係）にあり、人口

真の因果関係の検討には調べ方が大事

因果関係と相関関係の錯誤例をみてみよう。「著名人のほぼ100%が、子ども時代に親に怒られたことがある。子どもを著名人にするには、厳しく育てるべきである」との主張があったとする。しかし、ほとんどの人が一度は親に怒られたことがあるはずだ。この場合、子どもの頃に怒られたことがなかった人と比べる必要がある。

著名人ではないが、子どものころに親に怒られていた人はたくさんいる

著名人でない人と比べると、「子どものころの怒られた」ことは関係がないことがわかる

の多さという要因が両者に影響を与えていたのである。このような、本来は因果関係がないのに、隠れた要因によって因果関係があるかのように推測されることを「疑似相関」という。

こうした疑似相関の例は多くあり、表面的な関係性に惑わされないことが重要だ。たとえば、「健康診断で何回もメタボと診断されている人ほど長生きしている。太れば長生きできるのだ」「体の大きい児童のほうが学力が高い。たくさん食べれば脳が活発化して賢くなるはず」なども疑似相関の事例である。前者は、健康診断をたくさん受けると病気を早期発見できる確率も高まる「健康意識」という理由が、後者は、子供のうちは年齢・学年が上がっていくほど知識も多くなる「年齢」という理由が、それぞれ隠れている。安易な因果関係の断定には注意が必要だ。

「因果関係」は信じやすい

メディアで報じられるニュースの場合、ことさら因果関係が強調されることが多い。相関関係は二つの事象の単なる関係性のため、説得力が低く「意味」をもたせにくいのだ。狩猟採集時代の人類が物事の因果関係を推定することによって文明を発展させてきたため、視聴者側からするとその因果関係が正しいものと思いがちになるのだ。

褒める方が
良いぞ
子どもを怒るのは
教育に良い！
「分かりやすさ」を重
視すると、取り上げる
意見が一方的になって
しまうことも多い
視聴者はメディアの情報は
素直に受け取りがちだ

陰謀論にのまれずに慎重な判断が必要

2つの事象のあいだの関係性を強く疑いすぎると、いわゆる「陰謀論」に陥ってしまう可能性もある。陰謀論の考えに染まってしまうと、本来は無関係なところにも強い関係性を見出してしまうのだ。

陰謀論は「根拠の有無にかかわらず、世の中のさまざまな事象が少数の強力な組織や集団によってコントロールされているとみなしたり信じたりする信念傾向」を指す
A
B
ぺろ
つん
表面的な関連性で
決めちゃダメ！
因果関係を示す矢印自体が実
は間違っている可能性もある
ので、よく調べる必要がある

因果関係を明らかにするのが科学の重要なミッション

相関関係を精査して因果関係を探るのが科学の役目。「疑似相関」に注意し、表面的な関係性に惑わされないことが重要だ。

疑似相関などにのめり込んでしまうと、周囲の訂正意見が耳に入らなくなり、陰謀論的な考えにつながってしまう

column
四分割して比較する?

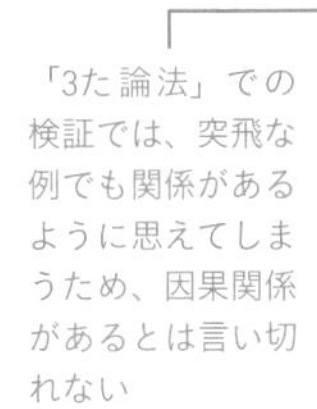

「3た論法」での検証では、突飛な例でも関係があるように思えてしまうため、因果関係があるとは言い切れない

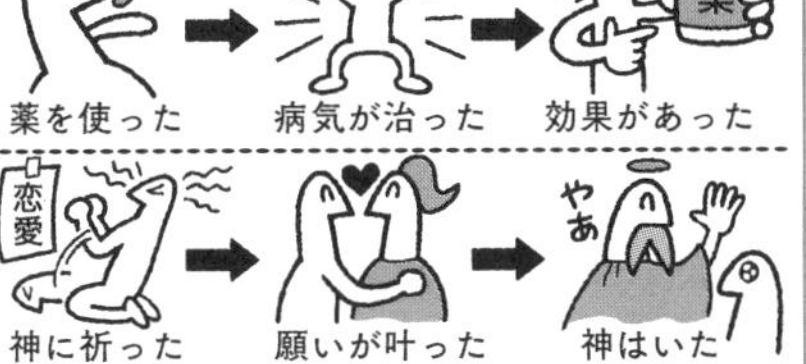

四分割表※	読解力向上した	読解力向上せず
新教材使用	い	ろ
新教材不使用	は	に

以下の文章を読んで考えてみてほしい。

「この新しい教材で勉強すれば、誰もが読解力が向上する。10000人の子どもでテストしたら、95%以上の読解力が向上した。」

この場合、サンプル数が十分なので、効果が検証されていると考える人もいるかもしれない。しかしこのデータには問題がある。「その教材を使わなくても読解力が向上した可能性」が否定できないからだ。古い教材でも同じような効果が得られるかもしれないし、特に子どもは成長にともない読解力は上がっていく。いくらサンプル数が多くても、一つの集団内で「教材を使った」→「成績が上がった」→「効果があった」と単純に考えるのは因果関係の推定方法としては弱いのだ（「3た論法」）。

一方、「四分割表」に分けて考えれば、この懸念にある程度応えられる。具体的には表のように、「新しい教材を使った場合や集団」と「そうでない場合や集団」で効果を比較するのである。ただし、比較する二つの集団の性質があまりにも異なっている場合など、四分割表だけで考えるのも限界がある。そのため、「ランダム化比較試験」（74頁参照）などの、サンプル集団の性質を均一化する方法が重要である。

※「い」と「ろ」の起きる割合（い÷ろ）と、「は」と「に」の起きる割合（は÷に）を比べる方法があり、これで算出される数値を「オッズ比」という。オッズ比が1の場合、両者の比率に差がないと解釈でき、1を大きく上回ったり（下回ったり）する場合、両者の相関が起きる確率が高かったり（低かったり）と解釈する

12

専門家の意見が一番信用できない！

データの信用度ピラミッド

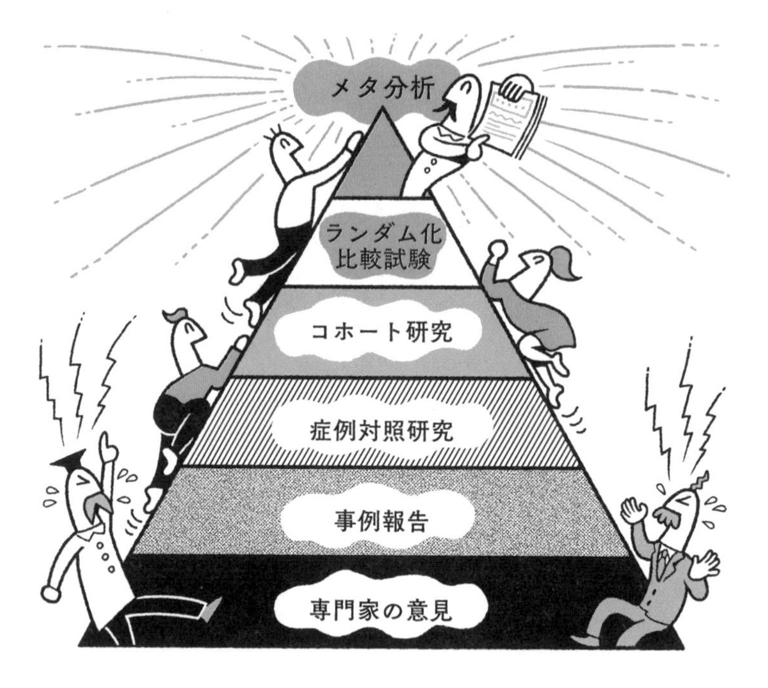

エビデンスピラミッドはもともと、EBM（Evidence-Based Medicine；根拠に基づく医療）における診療ガイドライン策定のために主に用いられてきたが、今では「ヒトを対象とした科学的データの信用度」の目安としても活用されている。

科学的なデータとして、どういったデータがあれば「信用できる」だろうか。評価のポイントは「誰がやっても同じ結果が得られるか（再現性）」と「思い込みや主観的な印象を極力排したデータであるか（客観性）」の二点である。

モノではなくヒトを対象とする場合、再現性を高めるには、条件の管理が重要だ。被験者の年齢や性別など、結果に影響があると見込まれる条件はそれぞれ別のデータ群として集計し、隠れた信条や経験の蓄積などの明確化できない個人差は、多くのランダムなサンプルをとることで統計的に相殺できる。

また、参加する被験者や実験者には人間の思い込み（バイアス）があり、それがデータに反映されて客観性が低下することがある。たとえば観察者が「被験者

身近なもので学ぶ研究デザインの信頼度

研究デザインに基づくデータの評価は、社会の仕組みにも深くかかわっている。医薬品は言うまでもないが、同じ健康食品やサプリメントでも、トクホや機能性表示食品が取得できているものとそうでないもの、あるいは美容品のように対象外なものとでは、効果の科学的な検証がどの程度厳密なのか、かなり違いがある。

医薬品やトクホは法的規制も厳しく、認定にも時間や手間が非常にかかる。そのため、その効果にも信頼がおけるとも考えられる。
雑品扱いの美容・健康関連商品には法的規制は働きにくいので、比較的簡単に製品化できてしまう。
医薬品
トクホ
機能性
表示食品
美容品など
同じような商品でも、信頼性は天と地ほどの差がある…

は悩んでいる」と思い込むと、悩みを抱えているような言動が気になってしまう。より客観的な実験を行うには、機械を使って測定するとか、実験者を第三者にするとか、思い込みを排除する盲検法（後述）を工夫する必要がある。

以上のように、データの価値は「どういう研究で得られたか」という「研究デザイン」によって判断できる。そして、その判断には「エビデンスピラミッド（エビデンスレベル）」という考え方が参考になる。これは、科学的データの信用度を研究デザインに基づきランク付けしたものであり、「認知バイアス」の影響が考慮されている。

公表機関によって若干の差異はあるが、データのない専門家個人の意見やごく特殊な個別事例を取り上げた研究デザインの信用度は相対的に低くランク付けされている。

「トクホ」は信頼度高!

同じ「健康食品・サプリメント」として括られがちなトクホと機能性表示食品でも、必要とされるデータの質は大きく異なる。トクホの場合、製品を使用しヒトを対象とした実験データが必要で、開発には数千万円以上の費用がかかり時間もかかる。そのかわり、国がお墨付きを与えているので、その効果はある程度信用できる。

特定保険用食品
国
トクホは国が厳密に評価しているため、企業はたいへん!
審査が下りるまでときには数年単位の時間がかかり、ビジネスのチャンスを逸してしまう問題があった

「機能性表示食品」は信頼度低…

トクホとは異なり、機能性表示食品の届け出は有効成分に関する論文のレビューがあれば十分であり、被験者数や実験数などは基本的には問われない。このような届け出だけで、企業の責任で効果（機能性）が商品パッケージや広告などに表示可能なので、企業の利用が飛躍的に伸びている。

機能性表示食品
消費者としては、国がお墨付きを与える制度ではないことをよく認識したうえで購買判断をするべきである
機能性表示食品は、国の管理ではなく企業の自己責任だ
タタ〜ン
簡単にいうと、「世界のどこかの誰かが実施した、成分についてのランダム化比較試験で効果が示されていればOK」ということ

「効果」の表示を見分けよう

商品の有効性を、消費者が見抜けるようになるのが大事。そのためにも、エビデンス（科学的データ）の「ランク付け」は役に立つので覚えてみよう!

健康食品などに多い「効果」の表示も、信ぴょう性がどの程度あるのか、消費者が見分けられるようになりたいものだ

column
コクランライブラリー

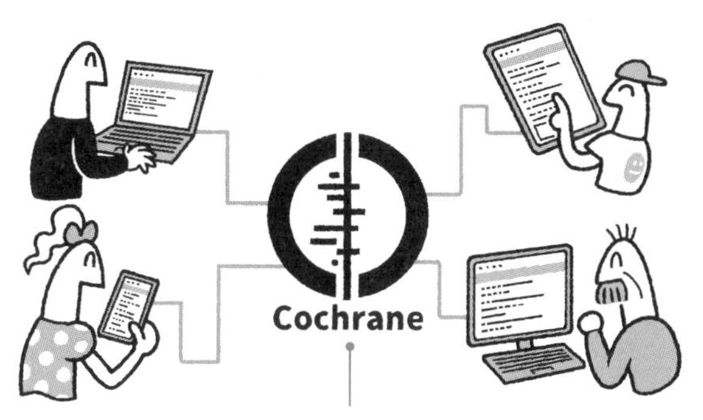

コクランのマークは、「メタ分析」を模している。メタ分析の詳細は別項

コクランライブラリー（Cochrane Library）とは医療分野における世界的なデータベースであり、ある治療方法の有効性や限界などについて、世界中のデータを収集したうえで統計的に分析したメタ分析（システマティックレビュー）が公開されている。簡単にいうと、「精度の高いまとめ研究の貯蔵庫」であり、これまでに7500以上ものレビューが公開されている。コクランライブラリーで公開されているレビューは、「根拠に基づく医療」のなかで国際的にも最高水準であるとみなされており、医学的根拠の質を検討する際などに中心的役割を果たしている。もとは1992年にイギリスの国民保健サービスの一環として始まり、レビューの結果を医療関係者だけでなく一般消費者にも届け、合理的な意思決定に供することを目的として活動されている。

コクランライブラリーで公開されているレビューの対象は実に多岐にわたっている。たとえば、近年話題となった血液クレンジングのもとである「オゾン療法」や「ホメオパシー」、「カイロプラクティック」など、民間療法や代替療法分野もかなりカバーされており、メタ分析のデータが読めればたいへん参考になる情報の宝庫といえる。オンライン上で閲覧可能であり、一部は日本語翻訳もなされているため、（本書でも解説している）メタ分析の概要や読み方を理解したら、一度検索してみてほしい。

「誰が言ったか」で信頼度が変わる

13

あなたも騙される「確証バイアス」

専門家の専門領域は細分化されており、別な見解の専門家もいるのに、その意見はなかなか届かない

視聴者は「専門家」という肩書きを信頼し、その発言や番組内容も信じてしまう傾向がある

メディアが専門家を重宝して起用する理由には、内容の責任をメディアが負わなくて済むという側面もある。そのため、そのメディアの趣旨に沿った専門家が呼ばれやすいという構図にある。さらに専門外の領域にまでコメントが求められる場面もあり、専門家であっても信用度がかなり低下しているのが実情である。

メディアなどでもよく登場する「専門家」。筆者らも含めて多くの場合、そのトピックに対する解説者役として呼ばれており、読者や視聴者もそれを期待しているのであるが、実は、具体的なデータに基づかない専門家個人の意見は科学的なデータとしては非常に信用度が低いのである。前項の「エビデンスレベル」にもあるように、特にヒトを対象とした分野の場合、「専門家の意見」で全体の知見が左右されることはほとんどなく、むしろ（データに基づかずに）特定の専門家の意見によって分野全体の見解が決まるようであれば、その構図自体が疑似科学的であるといえるだろう。

専門家の意見がデータの信用度として低い位置づけにあるのは、専門家といえども人間であり、自身の主張や信念に沿

「専門家っぽい」印象で騙される

専門家の意見は、見ている人に「白衣効果（ハロー効果）」をかけているともいえる。白衣効果とは「白衣を着た人の意見は信用しやすい」という認知バイアスの一種。実際には信頼できない話でも、白衣を着た「ちゃんとした姿」のほうが印象に残り、聞き手は、聞いた話の信用度を無意識に高めてしまう。

白衣を着た人の意見は、たとえ専門外の信頼できない話であっても、聞いた人はその話を信頼してしまう

たとえ専門的で正しい意見であっても、信用できない見た目であれば、聞いた人は話を信用しなくなる

うような情報に選択的に注意が向いてしまう「確証バイアス」に陥る可能性があるからだ。筆者らも長らく疑似科学に関するウェブサイトやオンライン掲示板を運営しているが、特定の対象について確証バイアスに陥っているとみられる場合、本来鋭く理性的な人であっても、その特定対象についてはかなり偏った意見になってしまう。

かつては疑似科学を判別する手段として、「専門家の意見を参考にしよう」などといった啓蒙がなされてきたが、専門家同士でも意見が分かれることはごく普通のことであり、特定の専門家の意見に依ることのデメリットのほうが大きいだろう。ただ、誰かの意見を信用すれば自分の認知資源を節約できるという利点は大きい。その場合は、「とりあえず信用してみて後から反省する」といった姿勢で臨むのがよいだろう。

「あくまで個人の見解です」

直接的な「○○の専門家」という以外にも、たとえば「ハーバード大学が××と主張している」といった、ある種の権威によって主張の正当性を訴える場合もある。ただし、少なくとも日本では、研究者や教員の意見と大学の公式見解とは切り離されており、大学や組織がその意見を担保しているわけではない。

「ハーバード大学」などの権威を振りかざして信頼度を得ようとするのは、「ハーバード大学の方角」から来ただけで、ハーバード大学から来たように見せるようなもの

「研究している」の範囲もさまざま

「△△大学で研究されている」などのアピール手法もよく目にする。ただこれも、革新的な知見が発見される研究は非常に少なく、「研究をしている」だけであれば、実態がどんな状態であっても嘘にはならないことを利用しているに過ぎない。

9割以上の最先端研究は失敗すると考えれば、「失敗研究」を一緒にしていた可能性が高いので、「成果にあたる共著論文を見せてください」と確認してみよう

「共同研究している」という文言でも、実際は研究費用を援助しているだけ。というケースも多い。研究の役には立っているかもしれないが、その人に専門的な知見があるとは限らないのだ

時代は「専門家」のバーゲンセール

メディアなどでもよく目にする「専門家」はどこまで信用してよいか? 実際はほどほどにしておくのが無難かも知れない。重要なのはその専門家がどのような実績があり、どのような立場なのかを見極めることだ。

メディアが都合よく利用してきたことも原因の一つ?
SALE!
専門家
「専門家」という肩書きが世に溢れすぎてほとんど意味のない状況に

column

見えも聞こえもしなくなる? 確証バイアスはとても強力

一度「うつ病」の可能性を信じてしまうと、それ以外の可能性を排除して考えてしまい、別の意見が見えなくなりなったり聞こえなくなったりする
うつ病じゃないかも

確証バイアスとは、「当初の自分の考えに沿った情報にはよく目がいく一方、そうでない情報には注意がいかなかったり、過小評価したりする傾向」を指す。確証バイアスの影響を示した研究・論文は一定数あるが、そのなかでユニークなものを紹介しよう。

Mendelら(2011)では、精神科医師と医学生を対象に、確証バイアスの度合いを検討している。具体的には、一見「うつ病」にみえる仮想的な患者の病態を教示し、被験者はまずその患者に対して「アルツハイマー病」か「うつ病」かの予備診断を行う。続いて被験者は、「さらに詳細にした情報」も知ることができる。その後、得られた情報から最終診断を下す。実はその患者は「アルツハイマー病」であり、両方の詳細情報を比較すれば正確な診断を下すことが可能なのだが、予備診断での「うつ病」という判断に固執し、確証バイアスに基づいて一方の病気だけの情報収集を行うと、誤った結論に陥ってしまうカラクリになっている。実験の結果、精神科医の13%と医学生の25%が確証バイアス的な情報収集を行い、最終的に誤った結論に至った。

このように、その対象を専門としている人でさえも確証バイアスに陥る可能性がある。確証バイアスはたいへん強力なため、専門家の意見を聞く際は、あえて逆の見解を尋ねてみるのもよいかもしれない。その反応によって、その専門家が確証バイアスに陥っているかどうか判断できるからだ。

事例データの「一般化」には要注意!

14

事例が報告されるのは珍しいから

実態
幻想
やる気に
満ち溢れる！
みんなの
人気者！
いつも
若々しく！
すごい
効果！
効き目
あり！

広告における体験談の記載は当該商品の購買意欲や魅力に対して非常に強力な説得力をもっていることが指摘されている（土橋 2021）

商品広告において愛用者による個人の感想が強調されることが非常に多い。広告内の人物と自身を同一視することによって希望やリアリティ（現実性）を高め、体験談の内容を過度に信頼し、自分にも同じような効果や効能が得られると判断するに至るのだ。

誰かの意見のみではなく、データがあったとしても、それが少数事例の報告である場合、人類一般に適用可能かどうかはよく見極めなければならない。事例報告はあくまで「事例」であるため、万人に当てはまる一般的な知見（＝一般化）かどうかはわからない。特に個別事例の場合、研究者・被験者ともにバイアスが入り込む余地が大きく、対象の真の効果や因果関係を推定するのが困難な場合がほとんどである。

　また、健康食品・サプリメント広告などによくあるが、「個人の感想」といった形で個別事例が万人向けであるかのように広告される。この場合、その商品の購入者というのは好意的にコメントしてくれることがあらかじめ想定できる対象のため、そもそも収集した事例データに

真の理由は簡単には見えない

学校の成績、日々の体調などには、実際さまざまな条件が作用している。偶然変動に過ぎない体調改善に対しても、われわれは何らかの積極的な意味や理由を求めて「サプリメントを飲んだおかげだ」となってしまう。だから、近視眼的に一つの事象を観察するだけでは真の理由が見えてこないのは当然である。こうした場合に有効な方法が、条件をさまざまに変えたうえで互いに「比較」し、違いを調べることだ。

実際は別の理由があったとしても、「サプリを飲んでいないから!」といった納得しやすい理由で考えてしまう

偏りがあることが指摘できるだろう。

加えて疑似科学の場合、何らかの特定の逸話が発端となって、一般に広まったケースも多い。たとえば「ブルーベリーで目がよくなる」との言説は、戦争中に英国空軍のパイロットが「ブルーベリーを食べたことで悪天候でも視界がよかった」と話したことが発端とされているが、実際にはブルーベリーではなくニンジンであり、これすらも、ある種のプロパガンダとしてビタミンAの効果を喧伝するための方便だったようだ。なお、ブルーベリー摂取によって視力回復があるとするランダム化比較試験などの実験データはほとんどない。

事例が報告されるのはそこに新たな発見などを見出しうるからであり、そういう意味で個別の事例報告は、一般化に向けた仮説設定や、現象の詳細な説明・解釈のために活用する知見といえるだろう。

あり得るから「一般論」とは限らない

詳細な事例報告は共感を呼びやすく、たとえば「牛乳・乳製品を摂取するのを止めたため、乳がんが治った」との体験談が記載された書籍に対して、強く共感するコメントが多く投稿されたことがある。確かに、がんが自然退縮する事例は稀であるが報告されている。しかし、例外中の例外であるだけでなく、乳製品とがんの関りは思い込みである可能性が高い。

例えあり得ることだとしても、あたかも一般的な知見であるように読者が錯覚しうる内容であるならば、やはり問題である

レアケースすぎて参考にならないのでは?

事例報告は、いわゆる質的研究と相性が良い。これも数値化しにくい微妙なニュアンスなどが表現できる一方で、条件が違い過ぎて、ほかの事例との比較が難しいというデメリットもあり、一長一短だ。

すごく珍しい事例を秘境に収集しに行くようなもの。事実だとしても、それを一般的には応用できない。

「がんに効く!」エピソードを聞いたら「ちょっと待て!」

医療が進歩し続けているとはいえ、画期的な治療法などは超特例中の例外事例だ。藁をもつかみたい、がんに悩む人を利用する商法も多いので特に気を付けたい。

ガンに効く
ちょっと待て!
都合のよい画期的な話は目立つけれど、だからこそ一般化できないものだと考える癖をつけたい

column

少数サンプルで因果関係を推定する「N-of-1試験」

今度はどの治療法を試そうかな〜
治療法をランダムで決めることで、患者にとって最も効果の高いものがわかる
コロリン

もしも少数サンプルで因果関係を推定しなければならない場合、「N-of-1試験」という方法がある。これは、1人の被験者を対象に、効果を検証したい複数の治療法などをランダムに実施するという方法だ。たとえば、風邪をひいた自分を想像してみてほしい。仮にA、B、Cの三つの治療薬の選択肢があったとして、そのなかからランダムに治療薬を選ぶのである。できれば誰かに協力してもらい、自分がどの治療薬を選んだかわからない状態にするのが望ましい（後述の盲検法)。次に同様に風邪になった場合には残った治療薬を選び、各治療薬を摂取した際の治療効果（例：治るまでにかかった期間など）を記録しておく、といった具合である。こうすることで、どの治療薬が自分に一番効果があったのか、ある程度のバイアスを排除した状態で確かめることができるのだ。

もちろん、N-of-1試験が適用可能な状況は限定的であるが、この実験方法は、特定個人に対する効果を究明する手法として、高いエビデンスレベルであることが実際に認められている。

15

サンプル数は多いだけでは意味がない

過去を振り返る「症例対照研究」

質問者の質問の仕方によって、着目する点が異なってしまったり、偽の記憶がつくられてしまったりする場合もある

重篤な病気の場合、被験者の様子から実験者にそれが伝わってしまうため、後述の盲検化が難しいという問題もある

症例対照研究では、その病気にかかっているか否かが唯一の共通要因となるようにほかの要因を共通化する（年齢や性別、居住地域などを揃える）。ただし、個々の人間の違いをすべて揃えることは不可能である。加えて、病気に関連する「見えない要因」による影響の可能性はランダム化によっても相殺できない（すでに病気のある／なしで群が分かれてしまっているので）。

データのない専門家個人の意見や事例報告よりもエビデンスピラミッドの高い位置にあるのが症例対照研究やコホート研究などの「分析疫学研究」だ。これらはある要因（仮説）に着目して大規模なサンプル集団からデータを収集・分析する手法である。一般に因果関係は調査や観察など受動的に収集したデータではつきとめられないが、実験などの能動的に得られたデータではつきとめられるとされている。症例対照研究が受動的に収集したデータ、コホート研究が能動的に得られたデータとランク付けされ、コホート研究より上のピラミッド階層のデータならば、それに基づいて因果関係をうんぬんしてよいとされている。

症例対照研究は、ある時点で特定の病気になっている人と、年齢・性別などの

未来を追跡する「コホート研究」

コホート研究では、注目する仮説要因以外の条件を可能な限り揃えたうえで未来への追跡を行う。たとえば、同じような条件の人々を集めて、和食中心の食生活の人と、洋食中心の食生活の人との2集団に分け、将来のがんになる率を十数年にわたって調べて比較する。この期間に病気に関係する別の「見えない要因」をあぶり出せる可能性もあり、因果関係の究明という意味では症例対照研究よりもはるかに優れている。

未来を追跡するこの研究法は、研究が長期間におよぶため、その分大きなコストもかかってしまう
被験者が害を受けることが想定される場合など、被験者への介入実験が困難な場合においても使用できる
ジ〜
ジ〜
ジ〜
長期間かけて未来を追跡

条件が同じで病気になっていない人を比較し、両者に関連する要因を過去にさかのぼって調査する手法。病気の原因を探るのに適しているが、被験者の特性や質問の仕方によって思い出される出来事が左右されたり(リコールバイアスという)、「偽の記憶」が形成されたりするという欠点がある。このため、因果関係を主張するには根拠が十分でなく、ほかの理論的な知見と合わせて考える必要がある。

コホート研究は、ある時点で調べたい要因(仮説となる原因)の有無のみが違う2つの集団に注目し、将来にわたって長期間観察を続け、特定の病気になるか否かを統計的に調査する手法。調べたい要因のあり／なしによって特定の病気の発生や予防に関係している度合いを調査できる。被験者の記憶に頼ることはないため、因果関係の究明方法として症例対照研究よりも信用度は高い。

適切なデータ集めが肝心

多くのデータを統計的に分析するタイプの研究を一般に「量的研究」という。量的研究を十分に読みこなすには推測統計学の知識が必要だが、そうした知識がなくても、そのデータと主張の関係を意識することが重要だ。

やみくもにデータを集めるだけではダメで、整理して考えるのが大事!

サンプル数よりも重要なデータの条件

量的データを収集する際の重要な点としてよく聞かれるのは「サンプル数」である。「データ数が少ない」「サンプル数をもっと増やすべき」などはよく指摘される事項である。確かにデータ数も重要だが、A→Bといった因果関係を究明したい場合、「どういう条件下におけるデータなのか」といったデータ収集のデザインのほうが重要だ。

芸能人を調べたいときには、芸能人じゃない人も調べ、「芸能人」と「芸能人じゃない人」の比較をするのが大事!

過去へも未来へもデータのとり方が重要

過去の記憶は「作られる」。未来を予測するためには条件を揃えることが大事!
被験者の特性や研究者の質問の仕方などによって思い出される出来事が左右されるリコールバイアスが生じたり、「偽の記憶」が形成されるなどのバイアスが排除できていないという点で、症例対照研究のほうがコホート研究よりもデータの信用度は低い。

column

ヒトの心は「直観」と「理性」のハイブリッド

「システム2」は論理的・理性的な部分。文明社会ではこの理性を働かせなければならない場面が増えた
システム2
システム1
意思決定
行動
意思決定の際にはこの「直観」と「理性」のせめぎあいの末に行われる
最終的な行動はこれら「直観」と「理性」のバランスが重要になる。たとえば「直観」だけでのやり取りは感情的になりすぎて議論として成り立たなくなる
「システム1」は直観や感情を司る。理性的な思考が重要視される現代になっても直観の影響は大きい

二重過程理論というヒトの心に関する理論がある。二重過程理論によると、ヒトの思考や意思決定はシステム1とシステム2と呼ばれる二つのプロセスに支えられて行われているようだ。システム1は直観や感情を司り、素早く反応し、進化的な起源が古いとされる。一方のシステム2は論理的・理性的な部分にあたり、ゆっくり反応し、進化的に新しい思考プロセスである。

文明社会になり、システム2のような理性を働かせなければならない場面が増えたのだが、一方で狩猟採集時代からのシステム1（直観）の影響は大きく、現代社会、特に科学に関する議論では、そのミスマッチから生じる問題が深刻になっている。因果関係と相関関係の錯誤も、まさに「直観」の強い影響によってもたらされているといえる。事例として典型的なのは「遺伝子組換え作物」で、実際に過去の社会的な議論を分析すると冷静な議論は少なく、システム1の影響で感情的な意見のやり取りに終始してしまっている様子が見受けられる（山本 2018）。

16

ランダム化比較試験がなぜ重要か

事前-事後の比較では不十分

薬品などの効果を検証する場合、まったく同じ人を用意してその比較をすることは不可能。なので、なるべくランダムに被験者を集めて、結果的に薬品の効果のみを抽出できるようにする

ある被験者での事前と事後の比較だけでは、被験者の個人特性が大きい結果になり、不十分

見えていない要因を含め、ヒトは十人十色である。被験者をランダムに振り分けることでそうした要因を統計的に相殺し、対象の真の効果、因果関係が推定できる。そのため、ランダム化比較試験では、被験者の振り分けの段階で実験の成否が決まる。たとえば、男女を混ぜた振り分けの段階で実験群に男性が明らかに多かったりする場合、その時点で実験はほぼ失敗である。

ランダム化比較試験とは、研究対象（たとえば薬）の効果を検証する際に、薬を飲ませる「実験群」と、薬を飲ませないもしくは偽薬を飲ませる「対照群」に、被験者をランダム（無作為）に割り当てて実験する手法をいう。ヒトを対象とする場合、因果関係を強く推定できるほとんど唯一の研究デザインといえるだろう。

対象の効果を確かめる（＝因果関係を検討する）には比較対象を設ける「対照実験」が必要であるが、その介入を行ううえで、被験者をランダムに配置することが重要となる。生まれた環境や経験の蓄積、考え方などの「見えない要因」は、年齢や性別などとは違って、容易には調べられない。だから、そうした条件の違いを揃え、比較対象として適切になるよ

「思い込み」を無くす盲検法（ブラインド法）

被験者のランダム化と同様に大切なのが、「本物の薬を飲んでいるのか偽物の薬を飲んでいるのか」を、被験者本人にわからないようにする「盲検法」だ。理由は、プラセボ効果（プラシーボ効果）という、思い込みの体調への影響を排除するためだ。さらに、被験者だけでなく、薬を渡す実験者も本物か偽物かわからない状態にすることを「二重盲検法（ダブルブラインド法）」という。実験者のしぐさなどから被験者へ薬の真偽を悟らせないためである。

「痛み」のような個々人の主観で評価が大きく異なる場合、プラセボへの対応は特に重要になる。ヒトを対象とした実験において、データの客観性を高める典型的な方法である
二重盲検法が不十分だと、実験者の態度に被験者が影響されてしまう
ど…どうぞ…！
アセアセ
オドオド
偽物

うに均一化することは現実的に不可能である。そこで、見えない要因の影響を被験者のランダム割り当てによって「統計的に相殺する」ことがランダム化比較試験において採用されている。ランダム化が適切に行えていれば「見えない要因による差」は実質的になくなり、「効果を確かめたい要因による差」だけが残るため、因果関係の推定が可能になるのである。

　このランダム化比較試験の考え方は現在、多くの分野で重要視されている。実際、一定の被験者数が揃ったうえでこの研究デザインを用いれば、かなり厳密に因果関係を推定できるため、新しい薬やワクチンの効果などが制度上承認されるためには、この手法によるデータ収集が必須である。さらに、盲検法によって「プラセボ効果」が排除されていることが同時に求められるため、こうした厳密な過程を経たデータは尊重できるものとなる。

「自然実験」という方法

社会科学の研究対象は、人々の集団である社会であるため、介入実験がやりにくい。たとえば、県ごとにランダムに消費税率を変えて各県の経済がどう変化するかなどは実施できない。そこで、社会制度や歴史的な偶然によって、あたかもランダム化比較試験のように判断できる状況を利用して因果関係を推定する「自然実験」と呼ばれる研究手法がとられている。

たとえば、ある年収を境にして医療費の個人負担割合が１割増えるという政策が施されている場合、境の年収のやや下の人とやや上の人で通院頻度や健康状態を比較調査することによって、個人負担割合が１割増える政策による波及効果を広く予想できる。これは、境の年収をやや下まわる集団とやや上まわる集団に、それぞれ人々がランダムに割り当てられていると推測できるので、ランダム化比較試験の構図が自然状態で偶然成立したと考えうるのだ。

自然実験は、被験者の「不利益になることは実施できない」という、ランダム化比較試験をはじめとした介入実験の倫理的弱点を補完し、社会科学における因果関係推定に道をひらいている。

例えば、同じような2つの地域において、片方はそのまま、もう片方に「消費税ゼロ」の施策が行われた場合、この2地域を比較して、「消費税ゼロ」の施策と住民の幸福度の関連性を検証できる

A地域と同じ条件とB地域と同じ条件の地域が複数あることを見つけられれば、自然実験ができる

比較したい要因以外が同じ対象ならOK！

比較をしなきゃ意味がない「対照実験」

特定の治療や予防方法、教育効果、心理効果など、何らかの要因によってもたらされた結果、つまり因果関係を推定するには、対照実験が有効だ。被験者全体を要因への介入を行う群と行わない群の2グループに分け、その結果を比較するのである。

対照実験とは逆に、単に被験者全体に介入を行って介入の前後を比較することを「単一群の事前事後比較」という

事前事後比較では、個人の成長要因を排除できない。人々の状態は何もしなくとも時間経過によって変化するため、厳密に因果関係を推定できたとはいえない

ダメな実験を見極めよう

実験が科学データの真骨頂。その実験方法は正確か否かを慎重に検証しなければならない。因果関係を解明するポイントは、比較対象を均一化する「ランダム化」、プラセボなどそのほかの要因を排除する「盲検法」、実験結果の比較をする「対照実験」の3点だ。

特に実験における「ランダム化」は重要だが難しい。被験者の年齢や性別は統制できるが、育った環境は測定しにくいため、脱ぎすてててプレーンな被験者になることができない

17

「古今東西の分析」を分析する

「メタ分析」でデータを正確に!

世界中のこれまでの研究をまとめて分析するので、
膨大なデータの結果を表現できる

ある対象についてこれまで実施されてきた研究を網羅的に調査し、分析する研究手法がメタ分析である。具体的には、各研究の結果を「効果量」と呼ばれる統計量で表現し、統計的な誤差を踏まえたうえで、それらの効果量を統合する。その際、出版バイアスの有無や大きさなども検討し、結果全体を解釈する。

ランダム化比較試験は因果関係を推定する方法としてかなり有効だが、依然としてサンプルの普遍性という問題は残る。これは、「昔の人のデータを今の人に適用してもよいのか?」ということや、「外国人のデータを日本人に適用してもよいのか?」といった意味であり、実際、ランダム化比較試験によって同じ対象を測定していても、ある実験と別の実験で相反する結果が得られることもよくある。否定的なデータはそもそも世に出にくいという「出版バイアス」の影響もあり、本当は効果がないにも関わらず、効果があるというデータのみが表面化している、という事態も発生しうるのだ。

こうした問題を克服するために「メタ分析(分析の分析)」という手法がある。

「メタ分析」と「システマティック・レビュー」

統計的な分析を伴わずに、各研究の概要を記述的にまとめる「システマティック・レビュー」もあり、厳密な手順がとられている場合はこちらも信用度が高い。ただし、あくまでも記述的な分析に留まるため、個別研究の評価に著者の主観が入り込む余地はあるだろう。

	メタ分析	システマティック・レビュー
メリット	・統計データ分析のため、著者の主観が入り込みにくい ・効果量が算出できれば、測定指標が違ったとしても統合可能（りんごとオレンジを「フルーツとしてまとめる」ことができる） ・出版バイアスの有無や大きさも統計的に検討できる	・ランダム化比較試験などの実験や、効果量を算出するのに十分な統計データが記載されていない場合でも、実施可能 ・各研究の詳細が書かれていることが多いため、読者が質感をつかみやすい
デメリット	・「ごみを入れてもごみしかできない」という風に、単にまとめることに注力してもよい結果は得られない ・使用するデータベースや検索語によって網羅的でない分析になってしまう ・分析対象の個々の研究データの正確性まで査読が行き渡りにくく、誤った分析結果が示されることがある ・近年の研究増加により、質の低いメタ分析も結構ある	・著者の主観によって都合の良い結論が導き出されることがある ・個別の研究ごとのデータの信用度は考慮に入りにくい ・個別研究のカテゴライズ以上の分析が実質的に困難

簡単にいうと、「統計的なまとめ研究」のことで、これまでに行われたランダム化比較試験の実験データを統合し、再分析するというものである。ただし、同じ対象についてのメタ分析でも、調べた期間やデータベース、検索語、統合された研究数などによって大きく結果が異なる場合があり、複数のメタ分析をさらにメタ的に比較したり・横断的にレビューすることも必要だ（山本2019）。特に、ランダム化比較試験のみをまとめたメタ分析と、症例対照研究などを含めてまとめたメタ分析では、もとの研究デザインにおいて含まれるバイアスから信用度が異なるため、一口にメタ分析といっても、中身の精査は必要である。

加えて、明確な仮説のないままデータのみ集められた場合や、サンプル特性や介入方法にばらつきがみられる場合も要注意だ。

さまざまな論文のデータを評価して傾向を探る

図は、メタ分析の結果を示すフォレストプロットと呼ばれるグラフである。簡単に見方を説明すると、Totalのところの数値が効果量で、[]内が統計的な誤差である。効果量がOR（オッズ比）の場合、誤差の範囲が１をまたいでいなければ（たとえば1.2-2.5、0.1-0.8など）、統計的に意味のある関連性となる。

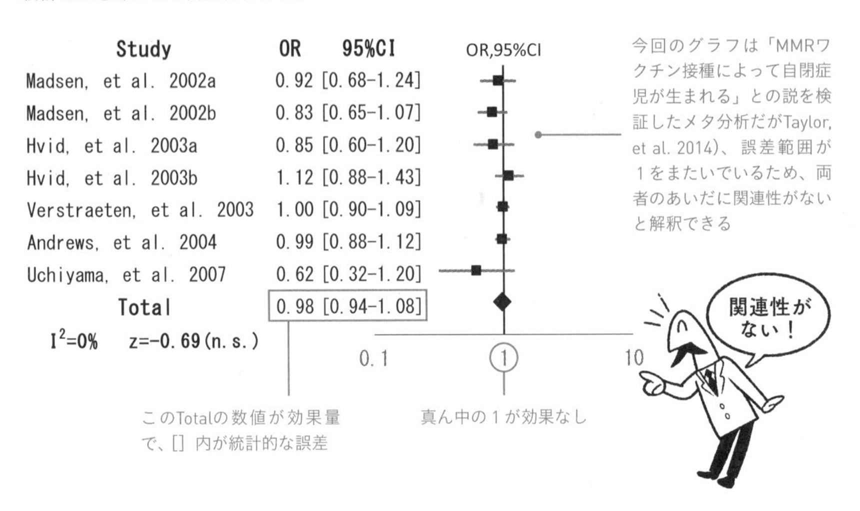

研究論文自体の信頼度も評価する

多くのメタ分析では、個別の研究の調査の過程や、それらにおけるバイアスの程度も細かく評価する。たとえばバイアス評価の場合、盲検化やランダム化の有無などを段階的に表現される場合が多い。

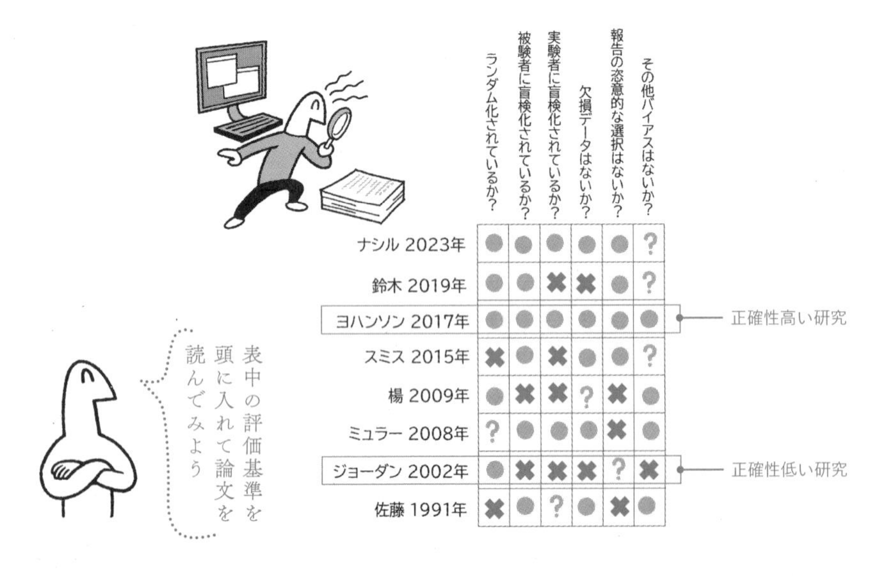

出版バイアスも考慮すると◎

メタ分析では出版バイアスについて、①漏斗プロットによる視覚的な表現、②出版バイアスがある可能性はどのくらいか（フェイルセーフN）、③出版バイアスの影響を補正すると結果はどうなるか（トリムアンドフィル法）、といった手法で統計的に分析する。なお漏斗プロットでは、「もし出版バイアスがない場合、各研究データは、真の値を中心に左右対称にプロットされるだろう」との前提に基づき解釈する。

出版バイアスがある場合は、被験者数が多い実験でも少ない実験でも、誤差なく肯定的なデータばかりが報告される、などの偏りがみられる

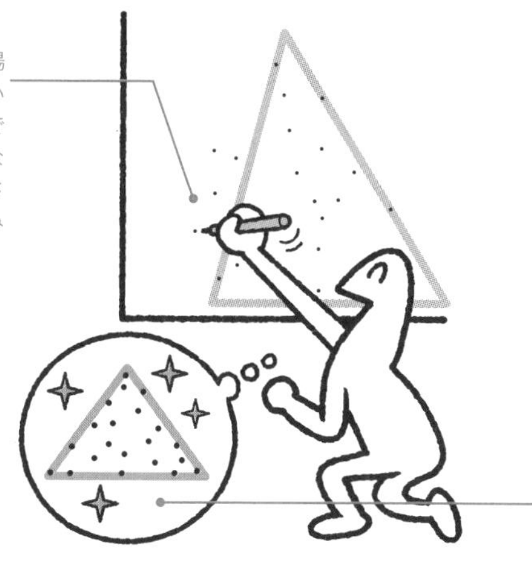

左右対称のプロットになるだろうことを前提に、三角形の左側にあるはずの出版バイアスによって欠けているデータは補って分析しなければならない

メタ分析をみてみよう！

メタ分析はエビデンスの最高峰。ただし、ここでも重要なのはデータの集め方と分析の方法。同じ「メタ分析」だとしても、なかにはダメなメタ分析もあるので要注意！

メタ分析は信頼がおけるエビデンスピラミッドの最高峰

同じ「メタ分析」でも、やはりデータの集め方などがずさんだと信頼がおけないものとなる

18

携帯電話の電磁波でがんになる？

電磁波有害説の主張

携帯電話使用による発がんリスクを主張する研究は存在するが、そのデータには疑問が持たれている

除草剤グリホサートの発がんリスクについて述べたIARCレポートでも（別項参照）、Hardellらの疫学研究をもとにしたメタ分析が引用されており、問題が指摘されている

携帯電話使用による発がんリスク研究では、スウェーデンの研究者であるHardellらのデータがよく目立つ（Carlberg&Hardell 2017）。Hardellらは携帯電話による発がんリスクを一貫して主張する一方、彼らのデータにはほかの研究者らから疑問がもたれている。

電磁波がヒトの健康に対して悪影響を与えているとする言説が古くからある。電磁波とは、「光（可視光）よりも周波数が低く、波長の長い電波」を指し、携帯電話や電子レンジなどから出ている極超短波や、無線ＬＡＮ、衛星放送などのセンチメートル波、あるいは電波時計から出る長波などがある。

全般としては、電磁波が社会生活上無視できないレベルでヒトに害を及ぼす、との主張であるが、そこで対象とされている疾患はさまざまで、発がんリスクなどから神経疾患、心身の不調感、「電磁波で精子が死ぬ」など多様である。ただし、被験者に害を及ぼす可能性のある実験は実施できないので、これまで報告されている研究の多くは「コホート研究」や「症例対照研究」などのデザインであ

電磁波に気づいたから体調が悪くなる

Klapsら（2015）は電磁波有害の研究方法に着目し、「盲検化された研究」「盲検でない研究」「フィールド研究」の3つに分類したうえで分析した。その結果、盲検化された研究では悪影響を示すデータが示されない傾向がある一方、非盲検化の研究やフィールド研究では電磁波による害が強く示されていた。このような結果から、対象に対するネガティブな思い込みによる「ノセボ効果」（マイナス方向のプラセボ効果を指す）の可能性が高いことが指摘されている。

電磁波に気づいたから、体調が悪くなった可能性がある。それは果たして電磁波が悪いのか…？

り、メタ分析においてもこうしたデータが統合されている。

　これらの研究をレビューしたところ、これまでのところ電磁波による健康リスクが一貫して示された疾患は見当たらなかった。対象としている研究データの数や質の違いによって、健康リスクがあるとの分析結果や、逆に電磁波ばく露によって特定疾患へのリスクを下げる、との相反する分析結果が示されており、電磁波の害が十分に立証されているとは言い難い。倫理的な問題からヒトを対象とした実験が不可能であることや、バイアスなどの介在する余地が大きいことが結果がばらつく理由であり、現に「電磁波」というワードはネガティブに捉えられやすく、思い込みによって症状が引き起こされた可能性も指摘されている（ノセボ効果）。いずれにしても、あまり神経質になりすぎないのがよいだろう。

質問者が体調に影響する？

Repacholiら（2012）のメタ分析では、脳腫瘍の種類別および携帯電話の使用時間別に研究を整理し、どの分析においてもリスク増加はないことを示したうえで、髄膜腫についてはむしろリスクが減るとの結果を示した。また、実験者の質問項目の設け方や被験者の記憶などによってデータの信頼性は大きく変わる症例対照研究の限界を指摘した。

浴びているかも…？

質問者の質問によって、体調不良の原因が「電磁波を浴びたため」と信じてしまう
「電磁波」の事例に限らず、症例対照研究では聞き方によって意図的な誘導ができてしまうおそれがある

鉄塔の下は安心？ 不安？

電磁波による健康リスクの問題は、1979年のWertheimerの研究によって、電磁波と小児白血病のリスクの関連が示唆されたことが発端とされる。その後の研究結果は安定していないのだが、一方でこうした情報が広まっていることから、今でも高圧線や送電線、鉄塔付近の物件は安かったりするようだ。ただ、近くに鉄塔がある場合、それが避雷針の役割を果たすため落雷のリスクは減るので、あえてこうした物件を選ぶメリットもあるかもしれない。

何をリスクと考えるかは人による。電磁波被害を信じている人は鉄塔や電線の下は嫌がる
電磁波…
安売
安くて
いいな！
落雷のリスクを重視すると、鉄塔の下は安全になる

電磁波で精子は死なない

「電磁波によって精子が死ぬ」といった俗説を見かけることがあるが、これについてはこれまでのところ、電磁波による精子の生存率や濃度には影響がないとのほぼ一貫したデータが示されている。

電磁波
精子
ドン
精子
精子
ドドドドド
電磁波
電磁波による精子の生存率や濃度には影響がないことがわかっている
悪そうな印象で判断しないで

電磁波に不安がるのは何のためかよく考えて

過去の研究などを調べても、電磁波による発がんリスクはなさそうだ。電磁波が原因だと考える心理の方が問題だったりする。しかし悪いイメージが広まってしまったことによる影響などは計り知れない。

電磁波による発がんのリスクなどはなく、害がないにもかかわらず、悪いイメージによって心理的に悪影響が及ぼされている

電磁波
害は無いのに…
ヒィ〜

19

「牛乳有害説」の問題点

エビデンスは「有無」よりも「強弱」だ!

おーい
豊富な栄養
病気予防
元気な体
有害であるという説に引っ張られ、根拠が強いポジティブな面が見えなくなってしまう
MILK
発がん
骨折
下痢
ネガティブな面が気になってしまうが、実際はとても弱い根拠しかない説だったりする

牛乳のネガティブ面が強調されるときは、ポジティブ面との強弱を考えるのが有効だ。たとえば、ランダム化比較試験やメタ分析によるデータの蓄積がどのくらいあるか、を目安に考えるのはある程度有効だろう。ただし近年、質に問題のあるメタ分析もみられるため、そこへの注意が必要だ。

よく、「科学的根拠があるかないか」などのフレーズが聞かれるが、科学的根拠に重要なのは実は「有無」よりも「強弱」である。特に現代的な疑似科学においては、「科学的根拠がまったくない」ような事例はほとんどなく、「専門家」も含む個人の見解、さまざまなバイアスの影響が排除されていない研究デザイン、限定的な状況下での少数事例データの一般化などの問題で、あたかも根拠があるかのようなデータ分析報告が一部に存在する。そのため、主張の根拠とされているデータの意味を考え、その分析報告を評価することが重要であり、科学的根拠の中身まで踏み込んだ理解や議論が否応なく必要とされている。

たとえば牛乳有害説。乳糖不耐症やアレルギーの面以外で、「牛乳は人体に有

少しのデータが誇張されているかも

同じデータであってもその解釈に問題がある場合もある。たとえば、コホート研究によって「牛乳乳製品によるメタボリックシンドロームリスクの低下」を明らかにしたデータでも、都合のよい部分のみを取り出して、「低脂肪乳によってメタボリスクが高まる」などと主張することができる。こうした場合、ほかのデータと比較する広い視野をもち、「追試などで再現されているか」などを考えるのが重要だ。

きちんと本体（データ）を見よう

恐ろしい結果が見えても、それは少しのデータが誇張されているだけかもしれない

害だ」との主張であり、具体的には「牛乳を飲むと乳がんになる」「牛乳を飲むと（逆に）骨折しやすくなる」「粉ミルクは身体によくない」などの言説がある。

しかし、メタ分析のデータによると、これまで牛乳によって骨折リスクや乳がんリスクが高くなるなどの知見はなく、一方でこれらの主張の根拠は、ある専門家個人の意見やエピソード（乳がん）や、一件の疫学研究の一部分の結果（骨折リスク）を誤用したものになっている。

加えて、牛乳によって健康効果（豊富な栄養価を得る、高齢者のフレイル予防など）が得られるとの研究では、ランダム化比較試験やメタ分析をはじめとした広く人類に適用できる「強い」根拠（＝エビデンスレベルの高い知見）が揃っている。そのため、非常に「弱い」根拠しかない牛乳有害説を積極的に取り入れる理由は、少なくとも社会的にはないのだ。

ちょっと待って本当に牛乳のせい?

「牛乳によって骨折リスクが増える」との主張の背景には、いわゆる「カルシウム・パラドックス」がある。これは、カルシウムの摂取量が多い国ではかえって骨折が多いという現象のことで、実際過去にWHOが公開したレポートがある。しかしこのデータの背景には、各国の肥満率や平均年齢、日照率による骨密度、病院受診率などさまざまな要因が考えられ、カルシウム摂取と骨折はおそらく「疑似相関(54頁参照)」だ。

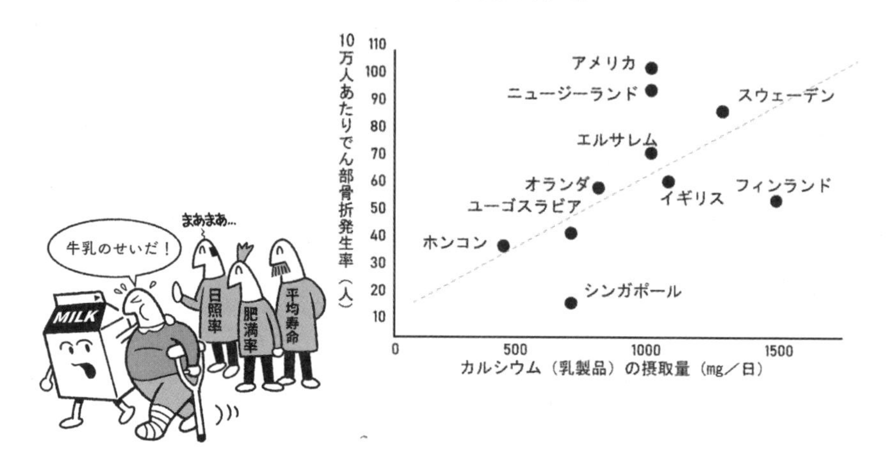

牛乳を摂らない方が深刻

現代の日本人にとってカルシウム不足が深刻だ。弱い根拠によって広まった牛乳の悪説にとらわれるより、牛乳を飲まないことでのカルシウム不足を懸念した方がよい。また、小魚や海藻類も同じ高カルシウム食品であるため、牛乳に限らず、バランスよくほかの食品を摂取するのがよさそうだ。

バランスを欠くとカルシウム不足に陥ることも。カルシウムを摂る手段として、牛乳はかなりよい
牛乳はダメ！
MILK
MILK
バランスよく食品を摂ることで、効率よくカルシウムを吸収できる

学校給食の再評価

牛乳の場合、高栄養であることから（主に戦後の）学校給食で重要な役割を果たしてきた。逆にそうした理由から、牛乳有害説のようなアンチテーゼが一定の支持を集めているとも推定できるが、現代でも、ネグレクトや虐待の家庭の子どもにとって、「学校給食が唯一の栄養源」となっているパターンもある。そうした、「反対側の主張の思考」を想定してみると、広い視野をもつ手助けになるかもしれない。

ダメっ！
MILK
牛乳は
栄養豊富なのに…
学校給食でもおなじみの
牛乳は健康に必須な食品
成長期の子どもにとって
牛乳は重要な栄養源

科学的根拠は強弱で捉えよう

物事にはさまざまな側面があり、それぞれに科学的根拠がある。そうなると根拠の「有無」ではなく「強弱」を判断すれば、何を信じればよいのかが見えてくるはず。牛乳はそれを学ぶ好事例なのだ。

どっちのデータが
いいの…？
強いデータ
弱いデータ
「強いデータ」を信用しよう。「強いデータ」と「弱いデータ」、
よく調べればその差は歴然

第4章

「理論とデータの関係性」と疑似科学

科学の理論やデータが独立しているだけでは意味がない。科学では、「理論とデータ」が過不足なく合致していることも重要なポイントである。

主張が肥大化しすぎればデータによる検証が難しくなるし、仮説がなかったり未熟なままデータだけを収集したりしても新たな予測の役に立たない。理論とデータの対応関係を考えるためのいくつかのポイントを解説する。

20

犬が鳴いたから地震が起きた？

後付け説明なら何とでも言える

地震が起きる前には言っていなかったのに、地震が起きてから「犬が鳴いたからだ」と主張するのは後付けの解釈だ

たとえば、「ある犬が鳴くタイミングと地震が連動している」といった主張の場合、犬が鳴いた後に起きた地震をカウントすると同時に、鳴いていないときに起きた地震もカウントし、その比率を比較するのがポイントだ（四分割表）。鳴いた後に起きた地震をカウントするだけでは比較対象がないため、犬の効果がどの程度なのか推し量ることはできないのである。

理論とデータの対応関係を吟味するのも重要だ。具体的には、観測されたデータに対して後付けで理由をつける「後付け仮説（アドホックな仮説）」も疑似科学を見抜くポイントの一つである。アドホックとは「特定の目的のために」という意味で、ある説を正当化するために後付けで理論構築するのは科学的とはいえないのだ。

地震予測でたとえると、「あらかじめ大量の地震予測をしておき、当たったときだけ取り上げる」といった手法がこれに当たる。また、事前の予測や仮説とは異なる推移を示したデータに対して、あとから別の理由での説明付けを行うというのも後付け仮説といえる。新型コロナの感染状況でも事前の予測通りにならず、メディアを中心に後付けの解釈に追われ

実際はガチャと一緒

極端な話、データとの不一致が出ても「理論」はいくらでも後付け修正が可能である。そのため、十分に理論と合致したデータを収集し、仮に理論の予測に沿わないデータとなった場合はその原因を究明し、理論を再構築したうえで再度検証データを収集しなければならないのだ。

「念じれば思った通りの景品が出せる」と事前に豪語していたはずが…後付けならどんなことでも説明できてしまう

ていた。専門家といえども複雑な事象の予測はかなり難しい。

よく勘違いされがちだが、ヒトや社会が関与する予測にはさまざまな要因が存在するため、実は「自然を科学する」ことよりも「社会を科学する」ことのほうが難しいのだ。

そうした意味で、将来の実験やデータに基づき予測可能な理論が立てられているか（予測性）は、科学的な理論とデータの対応関係を評価するうえで重要な観点だ。逆に、理論を補正し続ければ反証が不可能になってしまい、得られたデータがなおざりになってしまう。実際ケイ素（シリカ）水では、健康効果や美容効果がうたわれる一方、それに対応した実験データは乏しい。十分な理論とデータ、そしてその対応付けがないまま、さまざまな症状に対する健康効果が宣伝される傾向にあり、科学的には問題だ。

「シリカ水」も効果ありきの後付け

ケイ素（シリカ）は元素の一つで、シリコンなどとも呼ばれ岩石などに多く含まれる。ケイ素水を飲むと美肌効果や髪や爪などへの美容効果が得られるなどとうたわれているが、その「理論」は明確ではない。また、商品広告全般を見る限り、ミネラル全般の摂取による効果とごちゃまぜになっており、区別できていないようだ。

ほとんど効果はないことが分かっているシリカは、そこらへんの岩石に多く含まれているありふれたもの

「シリカ水」も効果ありきの後付け説明。本当は「マグネシウム」や「カルシウム」などシリカ以外のミネラルの効果の方が大きい

シリカ水は肌にも髪にも効果なし！

実際の「データ」も芳しくなく、たとえばブラジルにて実施された実験（二重盲検化されたランダム化比較試験）では、健康な成人22名に90日間シリカサプリメントを摂取させたが、皮膚の画像解析（シミやシワ、質感）や肌の主観的評価に対する効果は認められなかった（Peterson, et al. 2018）。同様に、ドイツで実施された45名程度の実験でも、髪の毛への限定的な効果のみに偶然かもしれないやや肯定的なデータが見られただけであった（Wickett, et al. 2007）。

シリカ水が「肌」や「髪」にも効果が無いことがはっきりしている

主張が大きくなるほど、支えるのも難しい

シリカの場合、非常に幅広い範囲での効果がうたわれている一方、その理論的な裏付けがなく、データ的にもほとんどすべてが否定的である。一つのメカニズムで多くの効果を想定することは難しく、幅広い作用を想定すればするほど、個別の作用機序や裏付けデータが科学では求められるのである。

美容
アンチエイジング
美肌
髪や爪
健康
シリカ
主張が肥大化するほど、対応する理論やデータを過不足なく構築するのも大変なのだ
さまざまな効果をうたったものの、どの効果も立証されなかった「シリカ」

結果を見てから解釈しても、検証にはならない

あなたの仮説では結果（データ）が「予測」できる？ 仮説を立証できるよう、「犬が鳴いていない場合」という比較検証や、「犬が何を予知しているのか」といった理論を立てた説明が必要。

犬が鳴くと地震が来る！
犬が鳴いていない時は地震は起きないの？
犬はどんな地震の予兆を察知しているの？

21 「波動測定器」は何を測っている？

波動で治す！
そもそも「波動」といっても測る人によって定義が異なり、何を測っているのかがあいまい

「生命の波動効果によって病気が治る」といった主張がなされることがあるが、科学的にはこうした場合、概念そのものの議論のほかに、「どのような方法でそれが測定できるか」も明らかにされる必要がある。測定方法に関する議論が未熟な場合、検証や反証に耐えうる主張にならないのだ。

メディア等で「科学的に証明された」などのフレーズは非常によく聞かれるが、本書で扱ってきたように、科学のデータには「ゆらぎ」があり、今後の研究によって覆る可能性もあるため、「証明」という語を使用するのは正確とはいえない。ある仮説とその検証プロセスそのものが科学だからである。特にヒトを対象とし、何らかの因果関係の究明に関する対象の場合、その因果関係の主張に対する責任が仮説を提唱する側には課せられる。これを「立証責任」あるいは「説明責任」などと呼び、科学の世界ではたいへん重要な概念である。

たとえば「波動測定器」。デトックス製品の根拠づけとして、この手の測定機器によるデータが広告上に記載されていたりもするが、仮にこうしたデータを説

「良い」の理由を説明せよ

実際、ちまたで「波動測定器」なるものが販売され、測定機に表示される数値が別の製品の根拠に使用されていたりもするようだ。しかし、その数値が何を測定しているものなのか、意味がある数値なのか、といった視点で考えるのがよく、「客観的っぽい」見かけの数値に惑わされないことが重要だ。

「測定で良い結果が出た」という宣伝文句を見ても、漠然とした「良い」に惑わされてはいけない

何を測って、それが何を意味するのか、といった面を見極める必要がある

得材料にする場合、ここでいう波動がどのようなものなのかを十分に説明したうえで、その波動の作用によってポジティブな効果が得られるというデータを示す必要がある。仮に波動を「何らかのエネルギー」などと定義しても、その「何らかの」の正体や人体への影響などを十分に説明できなければ意味をなさないのだ。つまり理論が説明する対象について適切にデータが収集されていることが重要である（妥当性）。

逆に、受け手側は基本的には主張側のデータの良し悪しを吟味して判定するだけでよく、対象の概念や作用などを積極的に立証する必要はない。これは、いわゆる「悪魔の証明」と同じで、ないことは証明できないので、あることを立証することに責任があり、そのうえで初めて「ある（かもしれない）」と一般化されるのである。

「操作的定義」の重要性

あるモノの概念を説明する際に、同じモノの単語を使うのはナンセンスだ。たとえば、「この知能テストで知能が測定できます」→「そこで測定している知能とは何ですか?」→「知能とは、この知能テストで測定しているものです」という受け答えでは、説明になっていない。「知能とは○○と△△と××の能力を総合的に評価したもの、とここでは定義しています」といった「操作的定義」が必要なのである。

幸福度を測ります！
収入や財産を測定しそれを幸福度と定義します
ナルホド
漠然とした「幸福度」をどうやって定義するのかという点の説明が必須である
「操作的定義」がなされないと立証が難しい。操作的定義はよく使われる学術用語だ

意義のある測定なのか要注意

測定の意義がどの程度あるか、についてもよく考える必要がある。たとえば、「使用すれば小学生時の読解力が向上する教材」はすごいかもしれないが、読解力として測定しているものが「ある大人向け小説への理解度」などであった場合、「成長」などの要因によって、おそらくいずれは差がほとんどなくなる。これを「効果」としてうたったとしても、その意義は低いだろう。

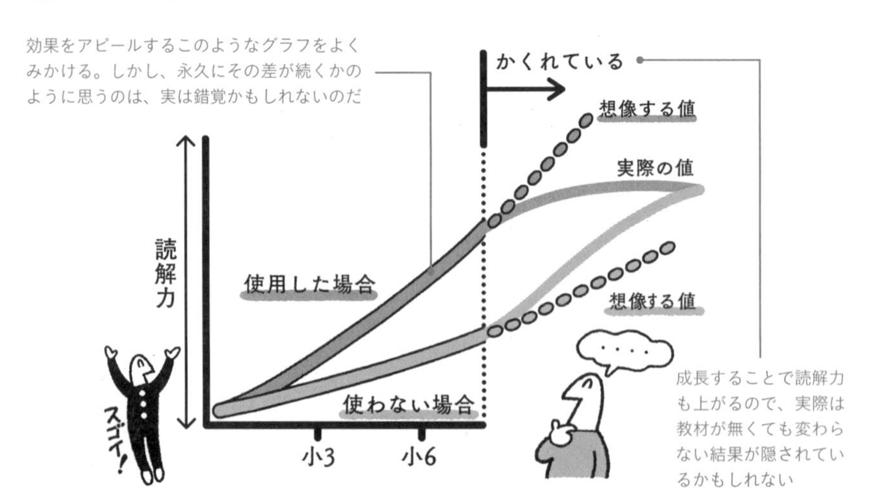

効果をアピールするこのようなグラフをよくみかける。しかし、永久にその差が続くかのように思うのは、実は錯覚かもしれないのだ
かくれている
想像する値

使用した場合
想像する値
使わない場合

成長することで読解力も上がるので、実際は教材が無くても変わらない結果が隠されているかもしれない

よくわからない概念を測定しても無意味

魅力的な文言が多い「測定結果」に目を向ける前に、何を測定しているのか、どのような概念なのかをきちんと見極めよう。そもそも「科学的に効果がある」の主張には立証責任がともなうのだ

科学的な効果を主張する場合には、主張する方が効果があることを立証する責任がある

議論をする際にも、「効果が無いこと」など「無いこと」の立証はそもそも不可能

column

IQは絶対値ではなく相対値。知能テストの性質を考える

IQテスト高成績＝絶対的に賢い、などと錯覚しがちだが、IQが高くても専門的な知識が必要な資格試験などには意味がない。その領域に合わせた勉強が必要だ

知能テストで「あなたのIQは120です」などの判定を受けると、何となくその数値は絶対的で自分の知的能力とイコールに考えがちになる。しかし、多くの知能テストで測定しているのは人間の知的能力の一側面に過ぎず、数値も「そのテストを受けた集団内での相対的な位置づけ」を表現しているだけである。難易度にも上限・下限があるため、ほどほどに考えるのが無難である。

もともと知能テストの多くは被験者の成績が正規分布するように設計されており、個人の成績を比較するのではなく、統計的な「外れ値」を検出することに意義がある。具体的には、データのばらつきの指標である標準偏差が平均値から2個分以上離れているかどうかが一つの判断基準となっており、集団の5%程度がそこに含まれる（平均値からプラス方向に2.5%、マイナス方向に2.5%）。ただし前述のとおり、これはそのテストを一度受けた際の結果に過ぎないため、同じ人が違う種類のテストを受けたり、何度も同じテストを受けたりした場合では結果も異なる。ちまたでは「IQ○○以上の人しか入会できない天才集団」といううたい文句を見かけるが、時代やテストの性質、受験回数やコンディションによって成績は変動しうるため、確固たる不動の選別基準であるかどうかはやや疑問である。

知能テストは、歴史的には生活に支障をきたしうる知的障害者の検出手法として利用されてきた。一方で、これは知能テストに限らないが、たとえば内田クレペリン検査など、日本において心理検査は科学的根拠に乏しいまま安易に職業適性などの判定現場でも使われてきたことが指摘されている（村上 2005)。「自分の能力や特性を知りたい」というのは人間の性（さが）かも知れないが、こうした検査は得てして過大評価されがちなのだ。

22

霊感商法や性格診断が当たるわけ

なるほど！
うお座
1位
今日は
良いこともあるし
悪いことも
あるかもしれない★
実は多くの人が当てはまることを
言っているだけかも

性格診断が当たっているように感じるのは「バーナム効果」と「予言の自己成就」の影響が大きいと指摘されている。ちなみに、本文に示した「興味がないことには無関心だが、好きなことには一直線だ」は血液型性格診断におけるAB型の特徴としてあげられることがあるものだが、血液型に限らず多くの人が当てはまっていると感じるのではないだろうか。

巷にあふれている性格診断や霊感商法。占い師や霊媒師が過去や未来を読み取り、来談者に伝える。「この壺さえ買えば未来は明るい」などとして高額商品を売りつける手法もあり、トラブルに発展することも多い。往々にして、事情を知らない人にとっては騙されることが不思議にも思われる手法といえるが、当事者は完全に信じ込んでいる場合が多い。なぜ「当たったと感じる」のだろうか。背景にあるいくつかの心理作用やテクニックを紹介しよう。

まずは「バーナム効果」。奇術師バーナムから命名されたもので、「誰にでも当てはまる内容を聞いて、自分の特徴や来歴が当てられたかのように思う現象」を指す。たとえば、「興味がないことには無関心だが、好きなことには一直線

先入観で見たいものしか見えない

見る側の視点として、「ラベリング効果」も重要概念だろう。たとえば、「A型は神経質」という事前情報が与えられている場合にA型の人のそのような面ばかりに目がいってしまうなど、あるラベルを貼った状態で人を見てしまうことを指す。

「神経質」というラベルのせいで、その人の几帳面な面しか目に入らなくなる
さすが几帳面ですね！
オホホ
神経質
家は汚いのになぁ～

だ」という特徴は、多くの人に少しは当てはまるのではないだろうか。

次に「予言の自己成就」。予言内容に沿った行動を無意識のうちにとり、それによって予言が現実になったと感じることである。たとえば、占い師に「あなたはもっと前向きで友好的にふるまうようになる」と言われたため、無意識のうちにその言葉通りに振る舞い、結果、あたかも予言が当たったかのような認識が生まれるのである。

なお、来談者の過去や将来を読み解くテクニックのうち、来談者とのコミュニケーションを通してあたかも超常的能力を発揮しているかのような印象を植えつけるテクニックを「コールド・リーディング」と呼ぶ。また、来談者に関する身辺調査（趣味趣向、家族関係など）を事前に行い、それを隠したうえで口述する「ホット・リーディング」もある。

「メンタリズム」のカラクリ

よく知られている「メンタリズム」も、占い師や霊能者の用いる手法に起源がある。科学的（心理学的）な裏付けがありそうなイメージで語られることもあるが、概念としては「超能力マジック」と同義であり、基本的には演出に過ぎない。一般に人の表情を読むことで、その人の感情変化を多少は知ることができるが、確実に心を読む技法は開発されていない。典型的なメンタリズムを紹介する。

①まず、「5から50まででで好きな数字を言ってください。13のような小さな数でもいいですし、36とか48とかの大きな数でもいいです」などと相手に言う。

②すると、回答は25、27、29あたりになることが多い。例に出された数字でないものをなるべく選ぼうとする心理が回答者に働くからだ。

③質問者はあらかじめ、25と書いた紙をテーブルの下に入れ、27と書いた紙をポケットに入れ、29と書いた紙を壁に貼っておく。

④そして、回答者の応答によって「あなたの回答はすでに予言してあった」などと言いながら、該当の紙を取り出して見せる。こうすると、かなり不思議な予言現象にみえる奇術を演じることができる。

⑤もし回答者が、期待した回答(25、27、29)をしなかった場合は、数字を使った別なパフォーマンスに即座に切り替えるのである。※

あらゆるところに数字を用意しておけば安心。
これはもはやタネを仕込んだ手品なのだ

※たとえば「魔法陣」を作ってみせるなど

信じる人は大真面目

どんな荒唐無稽なものでも「当たった」と感じさせるための心理効果やテクニックがいろいろあるため、信じている人はいたって真面目。怪しい物事そのものだけでなく、信じてしまう仕組みを知っておきたい。

外から見ると怪しくてなぜ騙されているか不思議だが、本人は信じ込んでいる

column

「血液型性格診断」は日本だけ

偏りがなく4つの血液型がそれぞれ存在しているのは日本や東アジアだけ。「血液型診断」は世界では知られていない

日本で広く知られている「血液型性格診断」は、文筆家の能見正比古氏による書籍（『血液型人間学』など）が広く売れたことから一般認知されたようである。

血液型と性格の関係については心理学分野を中心に、この社会的な広まりを後追いする形で研究がすすめられた。そのなかで、ABO式血液型が性格に影響を与えているとみなしうる科学的根拠は現在のところ乏しく、多くの研究で各血液型と性格（を推し量るための質問項目への回答傾向）に差がないか、あるいは「血液型性格診断という情報が社会的に広まったことによる影響」との結果が示されている（筆者も自身の授業を受ける大学生を対象にデータ収集した経験があるが、同様の結果であった）。

そもそも、血液型性格診断が日常的な話題として盛り上がるのは、日本を含む東アジア地域のみだ。それは、日本人の各血液型の分布がほぼ4（A）:3（O）:2（B）:1（AB）となっている一方、地域や人種によっては「人口の多くがO型」などの偏った状況になっているからである。「O型はマラリアに強い」など、体質との関連性を示唆する知見も若干あるが、だとしても血液型の違いが個人の性格にまで影響するとした知見とみなすのは現在のところ難しい。

ただし、仮に「この色は〇〇型の人と相性の良い色です」などと教示された場合、あえてそれに従うことで限りある個人の認知資源を節約する、という活用方法はありえるかもしれない。多くの占いや診断などにいえることだが、おすすめに従っていればあれこれ考えなくてよいのだ。

23

肩こりは磁石にお任せ？

ブレスレット型、貼り付け型、腰バンド型など、多くの磁気治療器が世に出ている。どれも「磁気で血管を拡張する」といった主張だ

磁気治療の理論的なメカニズムは明瞭でなく、発生する磁力の強さからの疑問も残る。肩こりや腰痛の原因は多様にあるため、それが理論とデータの対応関係を難しくさせている。

皮膚上に貼付することで肩こり解消につながるとされる磁気治療器。基本的には「永久磁石」を身につけるだけで効果が得られるとされ、直接皮膚に貼る形式だけでなくネックレス形式のものなど多くの種類が製品化され、販売されている。コリ軽減のメカニズムは明確ではないものの、血行改善による説が有力だ。永久磁気による治療効果の研究は、1950年代後半から2000年ごろまで日本を中心で盛んであった。実際の効果はどうなのだろうか。日本語文献のデータベースを中心に調べたところ、1980年代～2000年ごろまでに一定数のランダム化比較試験が実施されていたため、今回、メタ分析を新たに実施してみた。

分析の結果、コリへの改善効果が確認

「磁気でこりが治る」のメカニズム

今回実施したメタ分析のデータでは、顕著な効果があるようにみえる。ただし、メカニズム（理論）は仮説にすぎない状態。

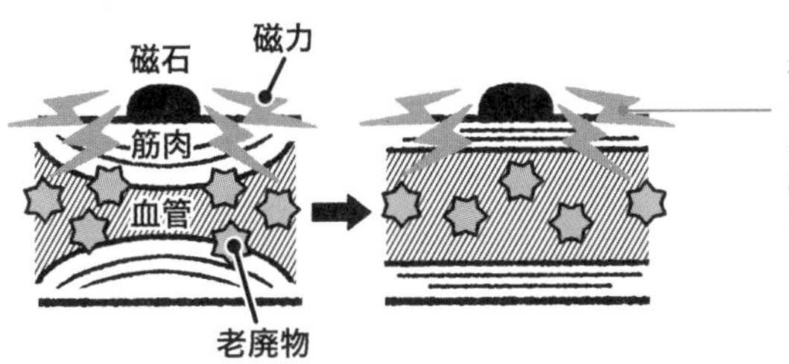

磁気治療器が効くとされるメカニズムは、磁力により血管壁に電位差が発生し、それが神経等に作用して血管が拡張される。というもの

Study or Subgroup	磁気治療 Events	磁気治療 Total	対照群 Events	対照群 Total	Weight	Odds Ratio M-H, Random, 95% CI	Year
鈴木 1983	36	44	12	34	10.9%	8.25 [2.92, 23.34]	1983
錦野・青木 1984	12	30	3	30	6.0%	6.00 [1.48, 24.30]	1984
有地 1984	26	33	13	31	9.8%	5.14 [1.72, 15.42]	1984
有地・小西 1984	24	56	5	39	10.1%	5.10 [1.74, 14.98]	1984
安井・堀田 1985	51	64	15	62	16.6%	12.29 [5.30, 28.53]	1985
久留島 1987	18	40	3	30	6.5%	7.36 [1.92, 28.28]	1987
長井 1991	25	30	5	30	6.4%	25.00 [6.43, 97.20]	1991
萱場 1991	30	38	8	36	9.6%	13.13 [4.34, 39.71]	1991
林 1993	29	44	9	43	12.7%	7.30 [2.79, 19.14]	1993
大園 1993	25	36	10	35	11.3%	5.68 [2.05, 15.76]	1993
Total (95% CI)		**415**		**370**	**100.0%**	**8.27 [5.87, 11.66]**	
Total events	276		83				

Heterogeneity: Tau² = 0.00; Chi² = 6.38, df = 9 (P = 0.70); I² = 0%
Test for overall effect: Z = 12.06 (P < 0.00001)

実際のメタ分析のグラフ。複雑に見えるかもしれないが、全体の結果を示す右側の◆が1より大きく「磁気治療」に振れているため、効果があることがわかる。

された。統合した研究の多くでは、2週間～1か月の装着による自覚症状や他覚症状の程度を測定しており、盲検化などの処置も行われていた点は評価できる。ただし、統合したデータにおいても合計のサンプル数は多くなく、また、いくつかの研究では被験者選定の施設が同じであるため、「肯定的な結果に傾きやすい被験者が選択的に選ばれる」などのバイアスの可能性は考えられる。

日本では、「家庭用永久磁石磁気治療器」といった医療機器のカテゴリーがあり、極端に高額な商品の販売はなされにくい状況にある。患部に刺激を与えることでコリ症状を改善するという主張自体も突飛なものではないが、これまで実証されているのは「軽度の症状」に対して「一定の強さの磁力の機器」を「それなりの期間装着した際」のデータである点には留意が必要だ。

普段浴びている磁気の強さ

家庭用として販売されている永久磁気治療器は表面磁束密度200ミリテスラ程度のものが多い。ちなみに、MRI機器は１テスラ～３テスラ、地表の地磁気はおおよそ30マイクロテスラ程度である。１マイクロテスラの1000倍が１ミリテスラ、その1000倍が１テスラである。

日常的ではないが、MRIでは大きな数値の磁気を浴びることになる。しかし健康への大きな影響があるわけではもちろんない

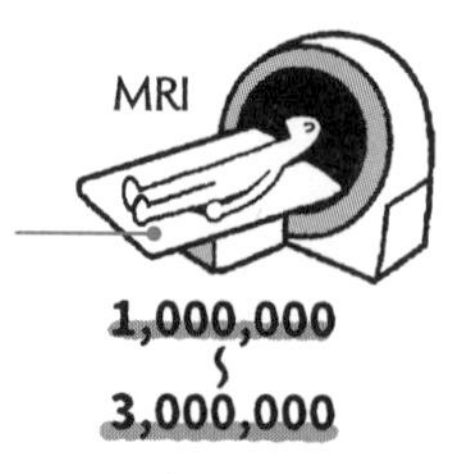

日常的に浴びている磁気の中でも比較的高い数値。ただ、どの程度体に影響があるかは疑問

地球自体にも磁場はあり、その強さは30マイクロテスラ程度

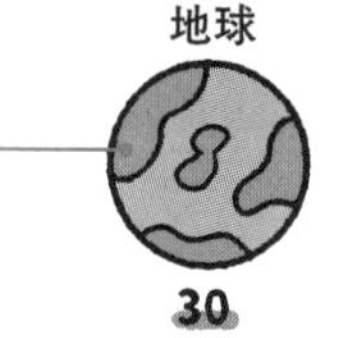

テレビなどの家電からも磁気は発生していて、日常生活でも浴びている

磁気の強さと効果の関係は疑問

逆に、これまでの研究では「対照群」として10ミリテスラ程度の偽治療器を用いており、そのくらいの磁力では人体に影響を及ぼさないであろうことが暗に示されている。一方、200ミリテスラ程度の磁力でどの程度の症状が回復するかを見積もるのは難しく、磁力と効果の対応関係が十分とはいえない。

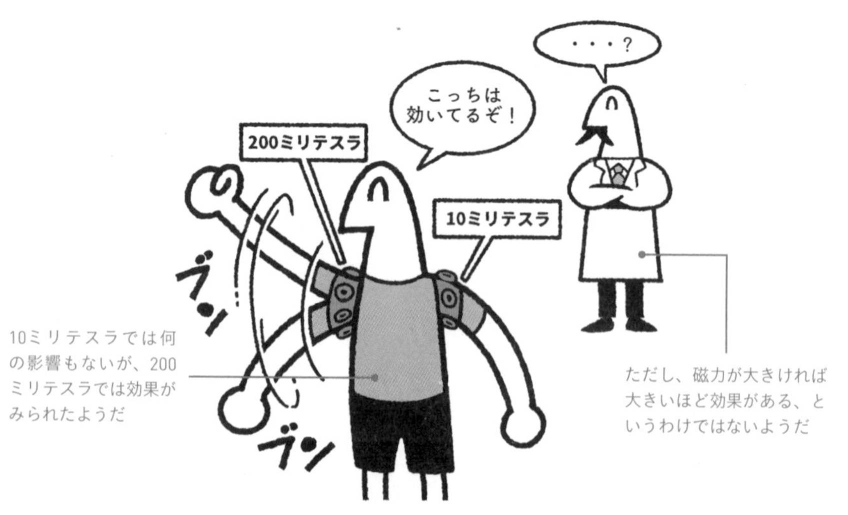

・・・?
こっちは効いてるぞ！
200ミリテスラ
10ミリテスラ
ブン
ブン

10ミリテスラでは何の影響もないが、200ミリテスラでは効果がみられたようだ

ただし、磁力が大きければ大きいほど効果がある、というわけではないようだ

効くのは日本人だけ？

海外の研究では好ましい結果が出ていないようだ（たとえばPittlerら 2007）。理由は不明だが、症状の重さや体格の違いなどによる影響が大きいのかもしれない。

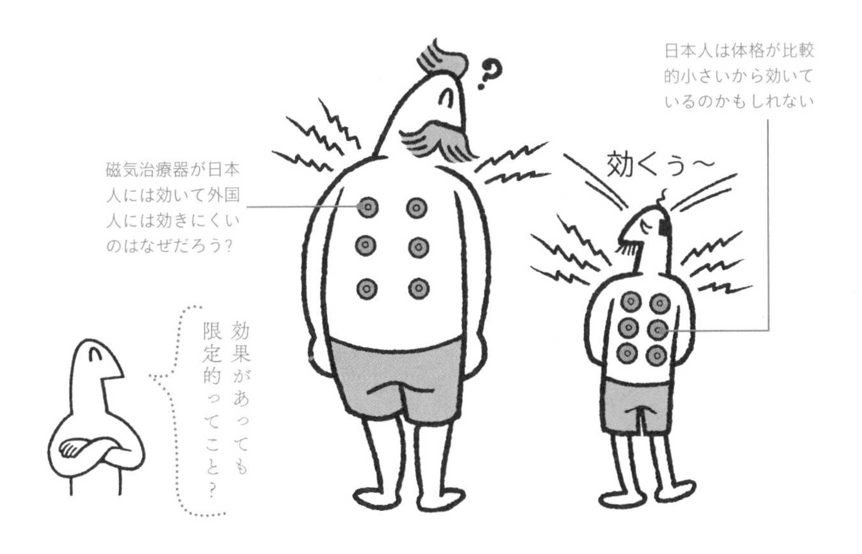

日本人は体格が比較的小さいから効いているのかもしれない
効くぅ～
磁気治療器が日本人には効いて外国人には効きにくいのはなぜだろう？
効果があっても限定的ってこと？

磁気に完全にお任せできるかは微妙？

既に巷にあふれている磁気治療器。時代は古いがある程度の検証データも揃っているため、磁気治療器による肩こりなどへの効果はある程度は期待できそうだ。ただし、もっと効果のある手軽な方法があるかもしれない。

磁気治療器に期待するほどの効果があったとしても、ストレッチのほうが効果的かも…
磁気治療器はさまざまな商品として販売されているが、効果の大きさは限定的だ

一大ブームを巻き起こした「水」の真相

24

「水素水」の是非やいかに

水素水の主張は、体内に水素を入れることで動脈硬化や生活習慣病を抑える効果があることなど
水素水
動脈硬化
生活習慣病
水素分子
そんなハズはないのに…
研究は多いものの、実際のところ健康効果は立証されていない

ヒトを対象とした水素水効果の実験では、小規模サンプルによる幅広い疾患に対するパイロットスタディーがいくつか報告されている。しかし、理論に基づくデータ予測が十分でないため、測定項目全体のうちのごく限定的な数値改善であったり、ある実験での改善が別の実験では再現されなかったりする問題※1が散見され、現時点では立証責任が十分に果たされているとは言い難い。

ひところ大きな話題になった水素水。水素水とは「水素濃度を高めた水」を指し、経口摂取によってさまざまな健康効果が得られるとされている。一方、現時点では効果の検証が十分とはいえず、宣伝手法に問題のある事例も散見されている。

水素水飲用による健康効果の理論は、水素分子が生体に浸透して細胞で健康によい反応がある、というのが基本構図であるが、その理論に沿った実験は非常に難しく、各細胞を細かくモニターする必要がある。何らかの細胞内指標による評価が可能になれば、妥当性の高い実験ができるが、現時点ではその見込みは低い。一部、手術を受けた患者に水素を吸わせて予後の改善をはかるという医療分野への応用可能性が検討されているが、この

※1たとえばAoki et al. 2013；Botek, et al. 2021など

飲みすぎによる悪影響も…

筆者らも水素水の健康効果に関するランダム化比較被験を網羅的に調査したことがある。そのうち「健康なヒト」に対しては、乳酸値や抗酸化指標、血管機能などを測定した実験があるものの、多くは否定的な結果である（Cheong, et al. 2019；Sim, et al. 2020など）。

ある研究（Nakao, et al. 2010）では1日当たり1.5L～2Lの水素水を8週間飲用させたところ、腹痛、頭痛、下痢などの軽度の有害事象が被験者にみられた
これは水素水に限った話ではないけれど…
ゴロゴロゴロ…
水素水がただの水であったとしても、飲み過ぎは体に良くない
水素水

研究をもとに健康効果を主張するのも、理論に対してデータの妥当性が低い。なぜなら、病気の人でのデータをもとに、病気でない人の健康効果は立証できないからである。

また、ヒトを対象とした実験で、水素水によって一部の指標が改善されたといった結果もあるものの、現在のところ一貫したデータは示されておらず、大規模サンプルによる追試では効果が再現されていない。※2 水素水を「どのような人が、どの程度飲用したら、どのくらい効果があるのか」といった理論構築やデータ収集の基盤になる知見が不十分である。

なお、仮に水素水に健康効果がある場合にも、水素生産菌のように体内の菌類を利用する手法も考えられるため（Michael & Levitt 1969）、水素をどのような形式で取り入れるかについては議論の余地がある。

※2たとえばパーキンソン病効果

「水素水」の理論にも疑問が

水を電気分解して単純に水素ガスを取り出すと、同時に酸素ガスも生じてしまうことなどの理論的問題も未整備である。溶存している水素分子に健康効果があったとしても、酸素分子の増加がその効果を相殺してしまわないか、という素朴な疑問が呈されるからである。

水素
酸素
水
サッサ
水素ガスだけでなく排出すべき酸素ガスも増加してしまうのでは?
細胞内に存在するほかの物質によってその効果が左右されてしまわないかという理論的な検討およびそれを裏付ける実験的な検討が必要である
体内に入った水素が余分な酸素分子（活性酸素）を体外に排出させる効果が期待されているが…

過度な効果をうたうのはNG

2021年3月、消費者庁は水素水生成器販売会社四社に対し、景品表示法違反（優良誤認）として措置命令を下した。これは、一定の濃度のある水素水を飲用することによって「老化防止効果」「炎症やアレルギーの抑制効果」などの効果があることを消費者向けに宣伝、標ぼうしていたことに対して行われた措置である。

有り余る「水素」製品の効果の検証はほとんどない

現在、水素水の形式以外でもさまざまな水素商品が販売されている。その中で2023年4月、「ストレスを抱えている女性の睡眠をサポートする」として水素ゼリーが機能性表示食品として届け出がなされた。しかし、元の論文を調査したところ、ランダム化比較試験の体裁がとられているものの、実験開始前の時点で測定項目に有意差が生じてしまっており、これではランダム化の意味がほとんどない（Nishide, et al. 2020）。また、事前に申請され、測定されていたはずの気分や心理ストレスの報告もなく、チェリーピッキングの疑いがある。実際、実験方法や結果の解釈についての問題点が指摘されている。

水素
水素ゼリー
水素風呂
水素
さまざまな水素商品が販売されているが、効果の検証はほとんどない

嘘みたいな商品もたくさん！

水素水は理論もデータも不十分だがビジネス先行

どのような人が、どの程度飲用したら、どのくらいの効果があるのだろうか？ さまざまな効果をうたい製品化されている水素水。実際は理論もデータ不十分で、疑似科学的なビジネスが先行している。

水素水
水素水ハカセ
水素水にお墨付きを与えるのはだれ?

観察からわかった科学進歩の好例

25

EPAで血液サラサラってほんと？

魚由来のEPAは血液凝固を防ぎ、
心筋梗塞や脳梗塞を防ぐ
EPA
血液凝固
心筋梗塞
脳梗塞
血栓

DHA・EPAの生理的な作用として、血液凝固を防ぎ血栓ができにくくなるという効果がある。凝固した血液のために血管が詰まると心筋梗塞や脳梗塞を引き起こす恐れがあるため、主にEPAを摂取することによりその予防効果が期待されている。

EPAは主に魚に含有している脂肪酸の一種であり、オメガ3系脂肪酸（EPA、DHA、α-リノレン酸）の一つとしてお馴染みだ。「血液がサラサラになる」などのフレーズを耳にすることも多いのではないだろうか。赤血球を柔らかくして血液粘度を下げる（＝血液サラサラにする）作用、血中脂肪低下作用などが明らかになっており、これらを目的とした治療薬が日本でも処方されている。そして実は、EPA効果の解明プロセスは、ボトムアップで進歩するという科学の好例なのである。

1960〜1970年代、デンマークの研究者であるダイアベルグ（Jørn Dyerberg）は、グリーンランドに住むイヌイットとデンマーク人の心臓病死亡率と食生活とを比べる大規模な疫学調査

その効果は古くから知られていた

デンマーク人とイヌイットとの比較調査のように、同じように肉を食べてもイヌイットの方が心臓病になりにくい、という逸話は昔からあったようだが、その理由が科学的に突き止められ、さらに活用できるようになったのは、ごく最近のことなのだ。

白人の食べている「肉」では、イヌイットに比べて心臓病のリスクが上がる
イヌイットは白人と比較すると、同じように肉を食べてもより心臓病になりにくい

を行った。その結果、イヌイットはデンマーク人に比べて心臓病での死亡率が非常に低いことが判明した。両者は同程度の脂肪を食事から摂取していた、にもかかわらずである。

その理由は、「脂肪の質」にあった。イヌイットの主食はアザラシの肉で、野菜もほとんどとらないが、アザラシの肉は魚の肉に近く、EPAが豊富に含まれている。実際、イヌイットの血中における脂肪酸組成を細かく分析したところ、デンマーク人と比較してEPAが高濃度に含まれていたのである。

このような経緯から、EPAなどのオメガ3系脂肪酸が心臓病を防ぐカギとされ、その後もデータが収集されたうえで前述のようなメカニズムも明らかになった。現在、EPA含むオメガ3系脂肪酸は、特定の栄養成分の補給のために利用される「栄養機能食品」になっている。

別に頭は良くならない

EPAと同じく魚やアザラシに含まれる脂肪成分にDHAがある。特にこのDHAを指して「記憶力がよくなる」「賢くなる」などと主張されることもあるが、学習障害のある子どもの計算能力や筆記などに対して、オメガ3系脂肪酸サプリメントは効果がなかったとのメタ分析がある（Tan, et al. 2016）。もとは青魚をよく食べる日本の子どもの知能指数の高さに注目した主張のようだが、こちらについては十分に検証されているとはいえないだろう。

60
65
青魚（DHA）を食べれば頭が良くなる!わけではない
DHAの学習能力への効果は怪しいね

「血液サラサラ」は良いこと?

EPAの摂取で「血液サラサラ」は科学的事実と合致するが、それが「良いこと」とは限らない。ケガをした際に血液が固まりにくいなど、負の作用を及ぼす場面もあるため、フレーズから受ける印象に引っ張られ過ぎないことが大事だ。

血液サラサラ！
EPA
ピュ〜
「血液サラサラ」は良い面だけではなく、いきすぎると血液が凝固せず血が止まらなくなってしまう。効果を単純に「良い」「悪い」で判断しない方がよい

サプリは非効率!?

摂取量や費用対効果についても注意が必要だ。たとえば、まぐろには70gあたりEPA／90mg、DHA／201mg程度が含まれているが、多くのサプリメント商品に含まれるEPA・DHAはこれよりも少ない。脳卒中の回復や予防にまでは寄与しなかったというデータもあるため（Campano, et al. 2022）、EPAやDHAだけたくさん摂取していれば大丈夫ということではないだろう。

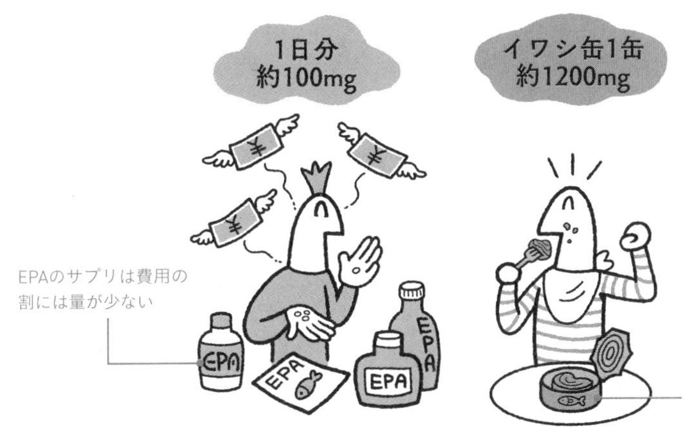

1日分
約100mg
イワシ缶1缶
約1200mg
EPAのサプリは費用の割には量が少ない
EPAを効率よく摂取するには缶詰がオススメ。イワシ缶なら1缶当たり約1,200mgも含まれていて、その上安い

上手な比較がなされればただの観察もあなどれない!

古くから観察結果として知られていたEPAの効果だが、比較調査の結果実証された科学的検証の好例だと言える。過剰な宣伝文句のように賢くはならないが、「皮膚の健康維持を助ける」栄養素だ。

EPAは科学的検証の結果効果が立証された

サプリなどで摂取する場合には量や価格の観点から注意は必要だ

指の力によって善悪までも判定する?

26

「O-リングテスト」を検証する

悪い!
!?
プス
「良いか悪いか」を判断したい患部を刺激して、指が開くかどうかを測定する
このO-リングテストは鍼灸から発展したものとされている

たとえば肝臓について測定する場合、ガラス棒などの刺激物で患部を刺激しながら測定者が患者のオーリングの指の力を診る。仮に異常がある場合、脳にその刺激が伝わり、それが指のオーリングの抵抗力として表示されるといった具合である。

親指と人差し指で輪を作り、その輪が切れないように指に力を入れる。次に、ほかの人がその輪を力を込めて引っ張る。輪を作っている側の人はそれに抵抗する。このとき、輪が切れるのならば身体のどこかに不調がある。これをO-リングテストといい、身体の不調や薬剤などの良し悪しを判定する診断法だとされている。たとえば、輪を作っているほうとは反対側の手にある薬を乗せ、その状態で輪を引っ張る。リングが簡単にほどければ、その薬は「体に悪いもの」と判定されるといった具合である。

O-リングテストの理論では生体がセンサーのように働き、正常な部分と異常な部分では異なる電場や電磁場をもっているため、輪を維持する力が弱まるとされる。これを、「神経の刺激による生体

多くの流派ができている!?

O-リングテストを最初に考案したのは医師の大村恵昭氏とされ、氏は、鍼灸などの東洋医学に着想を得てO-リングテストの理論を構築したようだ。一方、現在では大村理論から派生し、陰陽道や色彩心理などを取り入れた「流派」も存在するようだが、「運命がわかる」などの唐突な主張も多く、科学的には疑問である。

中にはそもそも科学的に測定不可能な主張もある
運命がわかる！
人生が変わる！
電磁波
桜宮派
薬剤
高次元
オーリング
テスト
体の不調
大村派
O-リングテストはその分かりやすさからか、多くの流派が生まれた

の反応や筋の緊張」などと言い換えると、確かに突飛な理論ともいえないようにみえる。実際、O-リングテストの理論のベースは鍼灸から構築されており、独自理論による説明ではないようだ。

しかし、それだけで薬の適否判定が行えるとの言説を説得的なものにするのも難しく、たとえば「良い」「悪い」といった判定は何を基準になされるのか、なぜそれが神経をつたわるのか、といった理論の詳細やその実証はない。「悪い」とみなすものの定義が実質的に実験者のさじ加減によるため、「反証不可能」な構造になっていることが指摘できる。

また実際には、人体の構造上、指の第一関節より先の部分を引っ張るとO-リングは簡単に開いてしまう。つまり、指を開く役割の立会人の意図が結果に反映するのだ。そのため、妥当なデータ収集がかなり難しい対象なのである。

指の開き具合は測定者のさじ加減

O-リングテストでは、指の開き方を判定者が8段階で評価する。VAS（Visual Analogue Scale）など、ヒトを対象とする分野においてこうした主観の数値化はよく使われる方法ではある。ただしO-リングの場合、測定者と患者の体格の違いや力の入り具合、測定者のその日の調子など、診断が左右される要因が多く、それらの排除もほとんどなされていないようである。

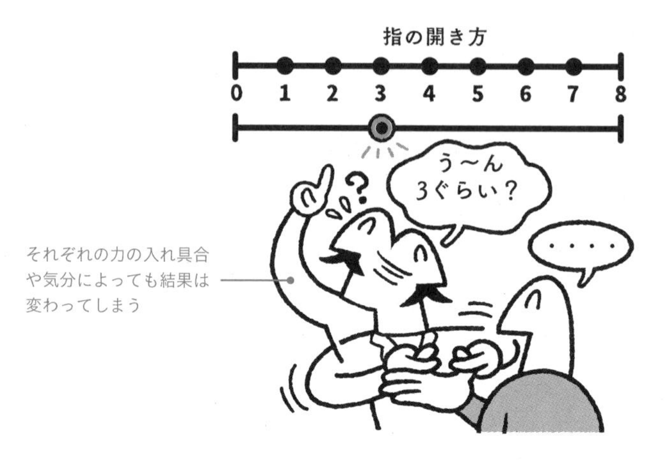
指の開き方
0 1 2 3 4 5 6 7 8
う～ん
3ぐらい？
・・・・
それぞれの力の入れ具合や気分によっても結果は変わってしまう

そもそも開くかどうかもさじ加減

人体の構造上、指の第一関節より先を引っ張ると、どのような人であっても簡単に指はほどけてしまう。なお、事故などで指を失っている人や意識のない病人に対しては、患者と測定者の間に第三者を置くことによりO-リングテストが可能と主張されるが、その場合、神経や筋の緊張などの理論の前提により大きな疑問が残る。

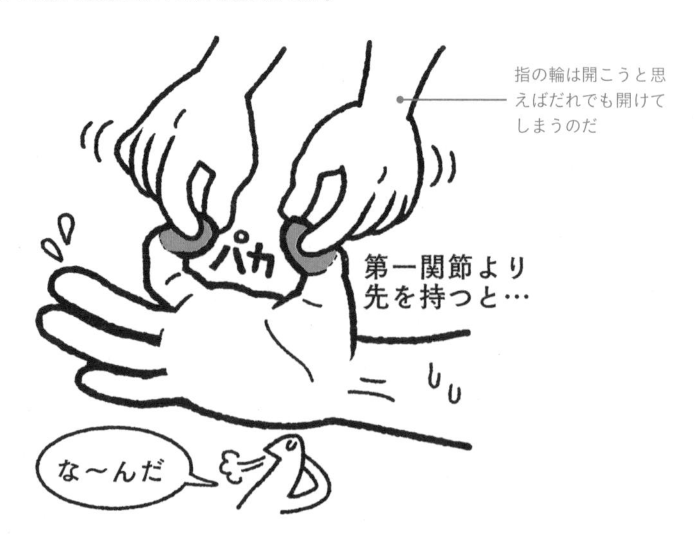
指の輪は開こうと思えばだれでも開けてしまうのだ
パカ
第一関節より
先を持つと…
な～んだ

流派の前に妥当なデータ収集のための検討を

0-リングテストにはデータも理論も不足しているため、信ぴょう性などはまるでない状態。そもそもこのテストでのよい／悪いの判断基準も定まっておらず、好きに解釈できてしまう。

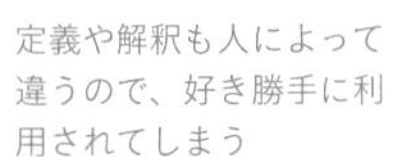

定義や解釈も人によって違うので、好き勝手に利用されてしまう

0-リングテストについては「データ」も「理論」もボロボロ

column
「こっくりさん」の仕組みとコールド・リーディング

「事前に聞きだした情報」を利用するのはホットリーディングという。

「こっくりさん」をご存じだろうか。YES/NOと五十音を書いた紙の上に5円玉を置き、その上に参加者の人差し指を載せる。続いて、「こっくりさん、こっくりさん、お出ましください」などと唱えると5円玉がひとりでに動き出し、五十音から言葉をつむぎだしたり、さまざまな質問に答えてくれたりする。いわゆる霊的現象として知られている現象である。

実際にはこっくりさんは霊的現象ではなく「遊び」であり、テーブルを使った西洋の占い（テーブルターニング）を起源として日本に伝わったものである。こっくりさんが上手くいくのは参加者のなかに成功させたいと願う人がいる場合であり、その人が5円玉を無意識に動かしているだけなのだ。

もし参加者のうち、こっくりさんに否定的な人しか知りえない情報が導き出された場合、「コールド・リーディング」と呼ばれるテクニックが、こっくりさんを成功させたいと願う参加者によって使用された可能性が濃厚だ。コールド・リーディングとは、コミュニケーションを通してあたかも超常的能力を発揮しているかのような印象を植えつける口述テクニックであり、占い師や霊媒者などの多くがこれを身につけている。 0-リングテストや性格診断が当たったと感じた場合、実はこうしたコールド・リーディングなどの手法が使用されている場合がある。科学性が確立されるには、こうした心理テクニックの影響も十分に吟味される必要があるのだ。

第5章

現代「社会」と疑似科学

科学が人間の営みである以上、「社会」との関係性も切り離せない。特に、現代社会はさまざまな情報で溢れており、科学や疑似科学が関与している事例も多い。関連する社会制度や規制などを取り上げつつ、科学や疑似科学の社会との関わり方やその影響について考えていく。

27

実は歴史が深い血液クレンジング

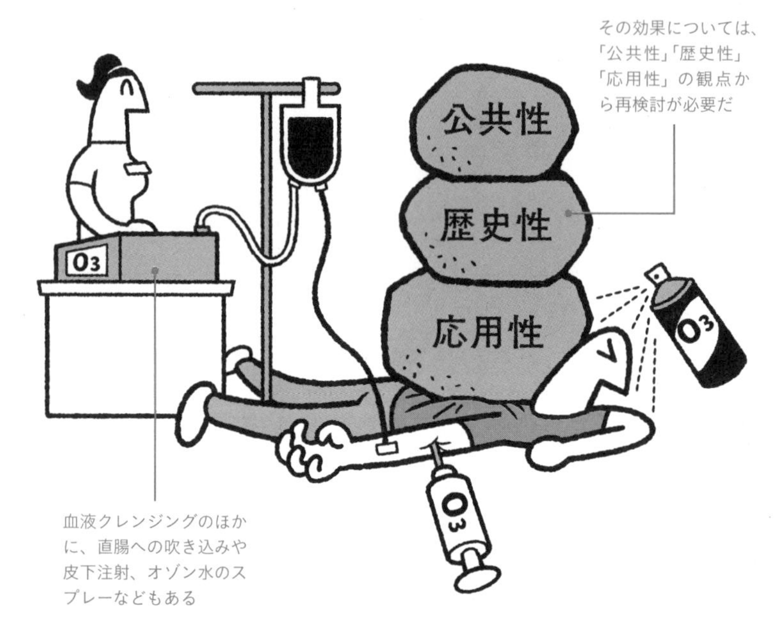
公共性
歴史性
応用性
O3
O3
O3
その効果については、「公共性」「歴史性」「応用性」の観点から再検討が必要だ
血液クレンジングのほかに、直腸への吹き込みや皮下注射、オゾン水のスプレーなどもある

オゾン療法のメカニズムは「酸化力の強いオゾンを低濃度注入することによってホルミシス効果（40頁参照）が得られ、それを利用する療法」とされている。オゾンの注入方法の一つとして血液クレンジングがあるが、高濃度のオゾン注入は人体に危険な可能性があるため、実際は希釈したものを注入するようだ。

科学の成果が日常に大きく貢献している以上、疑似科学においても、社会との関係性の観点は無視できない。それを見抜くポイントとして、学会などによる社会的にオープンな取り組みがあり特定の権威を妄信するような構図ではないか（公共性）、論文などを通した理論やデータの吟味や批判といった議論の歴史があるか（歴史性）、誤解のうえで利用される恐れがなく将来にわたって社会的に応用可能と推測できるか(応用性)、があげられる。社会的に一定のチェック体制や議論の歴史があり、適切な形で応用可能であるかどうかが評価ポイントだ。

たとえば一時期話題となった血液クレンジング。100～200 ccの血液を脱血、そこにオゾンガスを混合して血液を体の中に戻すという治療法で、正式名称

結局「呼吸」と変わらない

病気を抱えた人に心理効果を誘発するような特有の問題が、血液クレンジングにはある。「黒っぽい静脈血にオゾンガスを注入することによって血があざやかな鮮血色になる」などであるが、オゾン（O3）は酸素（O2）の仲間であり、体液中においてはすみやかに酸素に分解され、ヘモグロビンに酸素が結合して鮮血色になる。要は「呼吸」とほぼ変わらない現象なのだが、この変色で錯覚し、プラセボ効果が誘発される。

目に見えるから
効いてるように
思うのかも

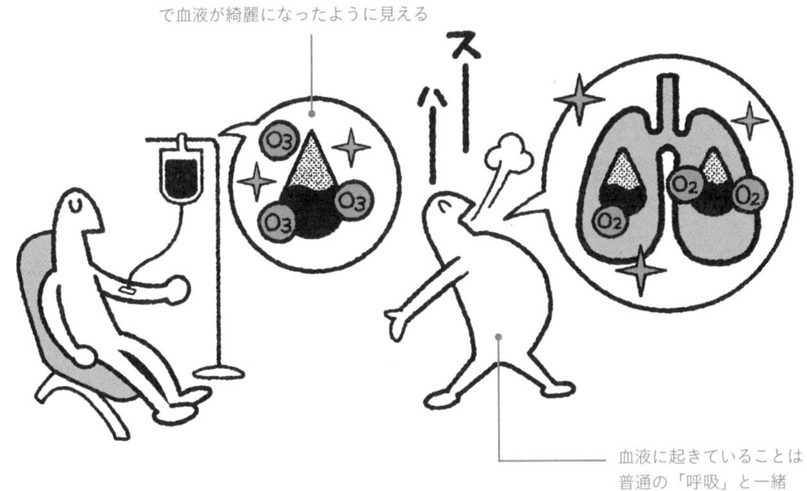
ヘモグロビンに酸素が結合して血液が鮮やかな赤色に変わるため、ぱっと見で血液が綺麗になったように見える
スー
ハー
O3
O2
血液に起きていることは普通の「呼吸」と一緒

を「オゾン療法」と呼ぶ。1900年代初頭にドイツで発祥した治療法であり、疲労回復、がん、糖尿病など、さまざまな健康効果があるとの主張のもと、日本でも著名人を中心に広まった。

オゾン療法のメカニズムやデータの科学的な信ぴょう性については次頁を参照してほしいが、治療法それ自体の歴史は古く、「1915年第一次世界大戦にて、被弾した兵士の傷口をオゾンガス洗浄して破傷風を防いだ」などの逸話に基づき、民間療法として草の根的に広まってきたようだ。その意味で一定の歴史はあるとはいえるが、批判的なものも含む研究コミュニティ内部での議論の活発性については疑問が残る。一部のコミュニティのみで推奨され、効果の検証がないまま期待だけで広まっているのが実態であり、社会的観点として低い評価にならざるを得ないのだ。

体内へ直接入れるリスク

素朴に考えると、体内へのオゾン注入によって、余剰となった酸素が「活性酸素」となって人体に悪影響を及ぼす可能性がむしろ懸念される。そのため、ホルミシス効果（前述）などの特殊な理論が採用されているようだが、前提となる理論自体の妥当性に疑問が残る。

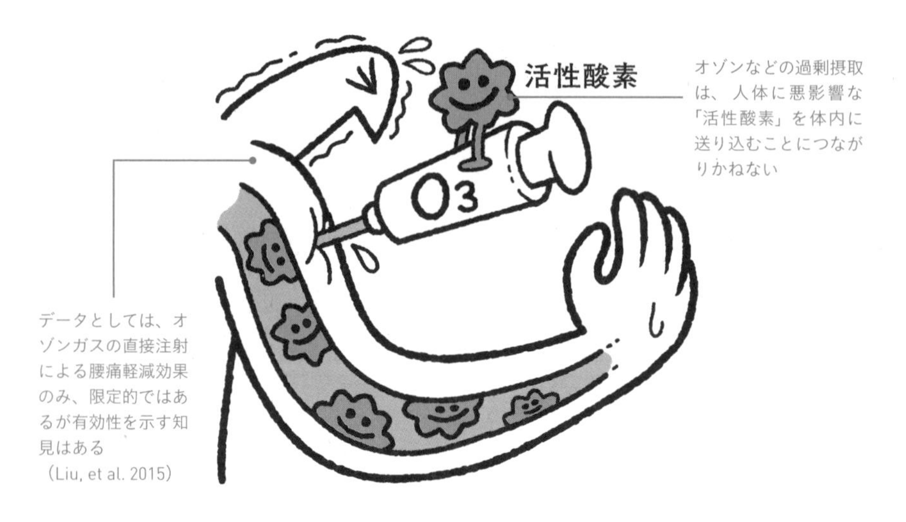

活性酸素
O3
オゾンなどの過剰摂取は、人体に悪影響な「活性酸素」を体内に送り込むことにつながりかねない
データとしては、オゾンガスの直接注射による腰痛軽減効果のみ、限定的ではあるが有効性を示す知見はある
（Liu, et al. 2015）

「針を刺すと効きそう」という心理

これまでの血液クレンジング効果の実験では、「実験群」には実際に針を刺して血液クレンジングを、「対照群」には同様の効果のサプリメント処方などが行われているが、「針を刺す」という行為が対象者に痛みを伴う刺激を与え、それが心理効果（プラセボ効果）を誘発している懸念がある。ランダム化比較試験であっても、対照群のデザインによって実験の質が良くも悪くもなる典型例である。

効きそう…！
比較対象として
バッ
「薬を飲む」と「針を刺す」だと心理的な影響が段違いなので比較できない。厳密には「注射はするが、オゾンは未注入のまま血液を体内に戻す」などの措置を対照群に行うべきだ
「針を刺す」ことが「体に効いている」と感じてしまうプラセボ効果が発生

正しく検証する比較方法

針を刺すことそのものの問題は、かつて鍼灸研究でも起こっている。鍼灸治療では対象となる疾患への適切な経絡、ツボに鍼を刺すことによって成立しており、これが理論的支柱である。しかし、鍼灸理論に関係なく、鍼を刺すことによる心理効果ではないかといった批判が起こり、それを踏まえて、以降の鍼灸研究では対照群に「ニセ鍼（刺さった感じに見えるが実際には刺さっていない）」を使用するようになったのだ。

ツボに鍼を刺して刺激する鍼灸も、その効果を調べるには「ニセの鍼」を刺した場合と比較しなければならない

歴史は深いが効果は……

血液クレンジングはドイツで発祥した歴史ある治療法だが、効果の検証データは乏しい。実際には呼吸と変わらない効果を演出して見せる広報戦略は、むしろマイナスな印象となる。

日本では富裕層・著名人を中心に広まった健康法であった一方、大炎上に…

28

「学会」はサークルだ！

過度な権威付けには要注意

「偉い人の集まり」のようにも思える学会は、実際は特定の分野の専門家が集まる「サークル」のようなもの
外から見たら小さい籠なのにねー
業者
業者
学会
学会の権威を利用しようと集まってお金を落としてくる業者も多い

権威があるかのようにふるまうのは、本来の学会の存在意義からしても問題だ。企業が学会の賛助会員になって資金援助することで研究や開発が進む例も多いが、「○○学会の賛助会員になっている」ことを企業が広告にうたっているような場合、イラストのような状況が想定されるため用心したほうがよさそうだ。

みなさんは「学会」と聞くとどのようなイメージを思い浮かべるだろうか。「何をやっているかは知らないけどなんかすごそう」といった漠たるイメージを思い浮かべる人や、権威があるような印象を抱く人が多いように思う。

学会とは、ある対象分野やそれに関連する分野に興味関心があり、それを学術的に探究したい人々が集まったり交流したりする場を指し、いわゆる「同好の士」によるコミュニティのことである。学会に入会するのに特別な資格が必要である場合はほとんどなく、その分野への興味関心があれば誰でも歓迎されるオープンな場なのである。

学会の主な役割は論文誌の発行や学術大会の運営であり、科学コミュニティの重要な一翼を担っていることは確かであ

本当は学会でお金は儲からない

少なくとも日本において、学会の運営資金の多くは会員の会費でまかなわれている場合がほとんどだ。そのため、最低限の運営資金にすら困っている学会もあり、学会長や学会理事、各種委員などの役職に就いても金銭的なメリットはないのがふつうだ。一方、学会においてこれらの仕事を任される場合、そのコミュニティのなかで一定の信頼が置かれていることの傍証でもある。「性善説」に基づいてボランティア運営されているのが学会であり、そうした理念がこれまでの科学の発展を支えてきた面がある。

本来、学会は研究者の交流を図り、知見を広める場所。たとえお金がなくても「やりがい」がその活動のベースになっている

商品の売り文句に「○○学会のお墨付き」という文言が欲しいために、学会に群がる業者も多い。そしてそれをよしとする学会もある

るが、「○○学会のお墨付き」や「××学会の公式見解」などと、学会を過度に権威づけたりするような情報には注意が必要だ。というのも前述のように、学会は開かれたオープンな場であり、さまざまなバックグラウンドをもった人々が互いに切磋琢磨するのが目的のため、その学会に所属することが重要なのではなく、ほかの会員に新しい知見を提供したり議論したりすることに価値があるからだ。そのため、学会は意味的にはサークルに近く、逆に「学会としての統一見解」などを出すのも実は簡単ではないのである（それが主目的でもない）。

日本国内だけでも学会は多くあり、日本学術会議の協力学術研究団体として1000以上もの団体が学会として登録されているが、一般消費者としては、学会を拠り所にしているような宣伝文句や情報は、むしろ疑ったほうがよい。

特許は商品の魅力と関係ない

「学会」以外にも、特許やJIS規格など、本来事業者向けの情報が消費者向けに宣伝される場合がある。「特許」は、発明者にビジネス上の優先を保護する目的で制度化されているもので、一般消費者がそうした情報を受け取っても何ら価値はない。にもかかわらず、消費者向けに特許取得を公言するのは筋違いであり、消費者向けのたんなるアピールといえる。

ライバルの少ないビジネスにおいては、商品の製造や販売上の工夫で、比較的容易に特許がとれる

商品の魅力とは全く関係のない「特許取得」を売り文句にする場合がある

多くの人には通じない売り文句でも、一部の人に興味を持ってもらえればよい。という考え

JIS規格は科学の根拠と関係ない

JIS規格（日本工業製品規格）は、さまざまな鉱工業品の品質改善、生産の合理化、消費の合理化などを目的として定められた一定の基準、標準のことである。JIS規格によって、同様の製品を別々のメーカーが製造している場合でも消費者が困ることなく使用できる。もちろん、JIS規格があるからといって疑似科学が科学になるわけではまったくない。

JIS規格は工業製品の基準のこと。たとえば別々の会社が販売しているトイレットペーパーでもどのホルダーにも収められ問題なく使用できる、ということである

「JIS規格」を、さも「科学的な根拠があるお墨付き」かのように表現する場合もあるが、これも誤り

本来の学会の役割

自分の研究にこもりがちな研究者にとって、学会は人的ネットワークを広げるための強力なツールでもある。実際、学会での関係によりその後の職を得る研究者も多いため、学会での研究発表などはある種の営業ともいえ、自分や自分の研究を売り込むチャンスとしても機能している。

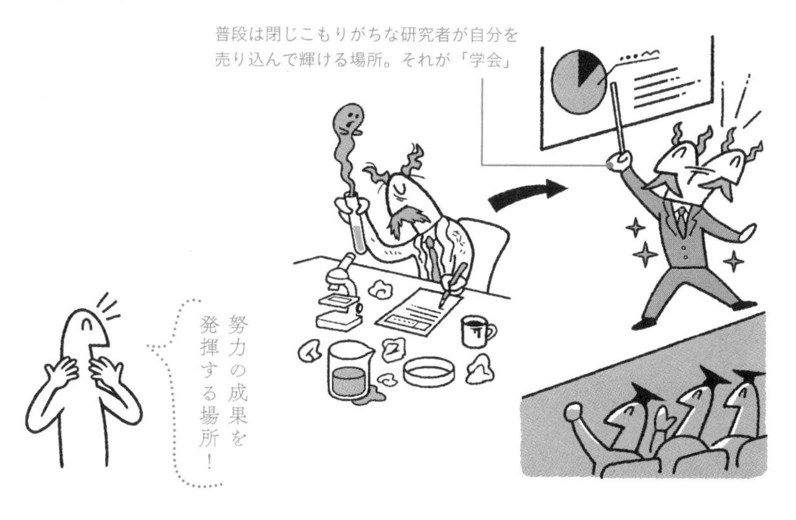

普段は閉じこもりがちな研究者が自分を売り込んで輝ける場所。それが「学会」
努力の成果を発揮する場所！

本来、学会は「同好の士」によるサークル

学会は研究者同士が交流し、知見を高める場。権威付けで「学会」という言葉が使われることもあるが、その場合は要注意。本来は学会などの枠組みはどうでもよく、中身の議論が大事なのだ。

金儲けのために利用するのは、そもそも「学会」の存在意義からは外れている
研究は楽しい！

29

論文は誰でも出せる？

査読などを経た「良い論文」を
出すにはそれなりの苦労が必要
論文

論文の質は玉石混交。適当に
書いた「悪い論文」は誰でも
出せる世の中になっている
論文

査読の形態はさまざまだ。著者と査読者がともにだれが書いているかわからない二重盲検方式や、査読者は著者がわかっている状態の単盲検方式、ともに誰だかわかっているオープンな形式などがある。ただし基本的に査読は、作業負荷が重い一方で「オモテに出せない」仕事である。筆者らも何度か査読者になったことがあるが、投稿論文を妥当に審査するのは簡単ではなく、苦労の多いボランティアワークになっている。

学会などの専門誌に掲載される論文は、著者がただ書いたものがそのまま掲載されるわけではない。多くの場合、「査読」という研究者コミュニティによる審査を受ける必要がある。

一昔前までは、「査読付きの論文が出版されているかどうか」が疑似科学を見分ける一つのポイントだった。しかし近年は、そうしたポイントの有効性は薄れてきた。論文誌そのものが増加したことや電子ジャーナルが増えたことによって投稿のハードルが下がったこと、また、いわゆる「ハゲタカジャーナル」が登場したことなどが理由である。現代で疑似科学かどうかが問題になる事例では、論文の有無が争点になるケースはほとんどなく、論文内容の拡大解釈や、データ収集の手法に問題があるなど、論文の質に

その査読は大丈夫?「ハゲタカジャーナル」の罠

掲載料を支払えば、「(厳しい) 査読を経たことにして論文を掲載する」という悪質な論文誌を「ハゲタカジャーナル」などと呼ぶ。実際、でたらめな科学論文を304の論文誌に投稿したところ、半分を超えるジャーナルから「掲載可」の通知が来たことを暴露した論文が発表されている (Bohannon 2013)。まるでソーカル事件 (別項参照) を思わせる事例だが、学位論文の申請に必要な査読付き論文数を確保するためや、職のない若手研究者が研究業績を稼ぐために、こうしたジャーナルが利用されているようだ。

学位やポストをちらつかせ、査読を経たことにして論文を掲載してしまう「ハゲタカジャーナル」
査読
ポスト
学位
早く業績を稼ぎたい若手研究者は「ハゲタカジャーナル」に群がってしまうが、そのせいで信頼が失われることも…

疑義がある場合がほとんどだ。

そもそも、査読付き論文が担保しているのは、科学あるいは学術の方法論に基づいているかどうかや、投稿された雑誌の方針に適した内容であるかどうかであり、論文に書かれている内容が「客観的な真実」であることを保証しているわけではない。査読制度は疑似科学を判別するゲートキーパーではないのである。

近年「p値ハッキング」や「チェリーピッキング」など、自身の主義主張に都合の良いデータに基づいた論文が問題となっている。今後、明らかな捏造や改ざん以外のこうした観点を見抜くことは、消費者も身につけるべきスキルとなるにちがいない。疑似科学の手法や、その判別に必要なスキルもどんどん複雑化していっているが、消費生活アドバイザーなどの制度を活用しながら、消費者全体としてスキル向上に努めるべきである。

偶然を必然に見せるテクニックも

「p値ハッキング」とは、本来は統計的に意味のあるデータでないにもかかわらず、あたかも意味のあるかのように報告する事象をさす。よくいう「5%有意」も、逆に言うとたとえ偶然でも20回中1回は生じうるという意味である。「20回に1回しか起きない事象が現に目の前に現れたとき、何か偶然ではない理由があるとみなしたほうが合理的だ」という推測統計学上の規範に基づいて解釈しているにすぎず、p値ハッキングは、これを逆手に取った手法といえる。

まぐれで起きたことでも、見せ方によってはさも百発百中で上手くいくかのように思わせることができる

効果の有無もさじ加減?

「チェリーピッキング」は、得られたデータの中から自身の主張に都合のよいデータだけを選び出し、それに基づき主張を展開することを指す。たとえば、あるサプリメントを飲んだ群と飲まなかった群で、それぞれ血圧や血糖値などの生理学的な指標を20〜30個測定して比較すれば、そのうちの１個程度は「5%有意」の肯定的な結果に偶然なる。その肯定的な指標のみを報告して、ほかの指標の測定を伏せておけば、あたかも効果があるかのように見える。意図的にこうした手法を用いていると疑われる場合にこの用語が使われる。

自分の望んだ結果のみを選んで発表すること。本当は都合の悪いデータもたくさんあるのに

論文は結果でなく方法を見よ!

現代社会では「査読付きの論文がある」だけで疑似科学を見抜くのが難しくなってしまった。論文は誰でも書けるものだと思い、論文の有無ではなく、その質を見極めるためのポイントを押さえておこう!

論文で大事なのは結果よりも「方法論」

論文内容の客観的な正しさは単一の論文ではなく、その後の議論で確立していく

column

除草剤「グリホサート」とIARC。科学ニュースとメディアの関係

IARCによる発がん分類は、発がん性の強さや暴露量に基づくリスクの大きさを示すものではない。現に「赤肉」や「夜勤の仕事」「コーヒー」なども、グリホサートと同じグループ2Aに含まれている

グリホサートという除草剤を聞いたことはないだろうか。世界中で広く使われている除草剤の主成分で、1970年にアメリカ企業のモンサントが開発した「ラウンドアップ」という商品名がよく知られている。一般認知は低いかもしれないが、科学—疑似科学関連ニュースで、ひところ話題になった。

きっかけは2012年、セラリーニという研究者が、「グリホサート除草剤に耐性のある遺伝子組換え作物を食べさせたラットにおいて、ガンや死亡率が増加した」との研究を発表したことによる。大きなガンができたラットの写真が掲載されるなど、論文はセンセーショナルに報じられてメディアの脚光を浴び、2015年には国際がん研究機関（IARC）が、グリホサートを「グループ2A（ヒトに対しておそらく発がん性がある）」に指定した。

しかし、セラリーニの論文は「査読付き論文」ではあったものの、すぐに実験や分析手法のずさんさが指摘された。具体的には、「遺伝子組換え作物でない作物を与えられていたラット（対照群）のほうが、ガンになる率が高い組み合わせがあったこと」や「もともとガンになりやすいラットが選択的に実験に使用され、十分なサンプル数も備えられていなかったこと」などである。最終的にセラリーニの論文は掲載された雑誌から取り下げられ、別の雑誌に掲載されることになった。

また、筆者らが詳しく調査したところ、IARCのレポートについても疑問が見つかった。当該レポートではメタ分析の結果（携帯電話による発がん性を主張するHardellら（別項）のグループによるデータが引用）をもとに、グリホサートの発がん性が述べられているが、メタ分析の対象になっている元論文では、分析に用いられたデータは、米国などの「大規模農園の従事者における農薬全体のリスク」を推定したデータのごく一部を引用したものにすぎず、グリホサートに固有のリスクを推定したデータではなかったのだ（DDTなどの問題のある農薬の影響が強く、グリホサート自体には問題がないだろうと論文では主張されていた)。それに、農作物に付着する残留農薬の消費者への影響ではなく、農業従事者へのリスクを扱った論文である。

P値ハッキングやチェリーピッキングの観点からもこうしたデータ引用は問題であるが、その検証がなされずに国際機関の公式レポートに引用されたことが大きな問題である。

科学は議論の歴史が尊重される

30

「これまでの常識を覆す！」は疑え

膨大な失敗が積み重なった上に、話題になるようなわずかな成功が存在している

膨大な過去の歴史の積み重ねの上に、今の科学の知見は成立している。われわれが普段目にするニュースでは、そのごく表面部分しか映していないのだ。

メディアなどにおいて科学が注目されるとき、「新発見」や「これまでにない」などの新規性を重視する文脈がほとんどだ。しかし、科学の世界では新しいものはひとまず疑っておくほうがベターである。

科学のコミュニティではこれまでの知見に基づいて議論が展開され、さまざまな批判にさらされながら長い議論を経て科学的知見を発展させていくという特徴がある。実際、これまで蓄積されてきた多くのデータを覆すのは容易ではなく、過去の知見を無視して議論を進めるのも問題だろう。こうした保守的な姿勢が科学の発展に寄与してきた面もあるため、「従来の知見を覆す」などの主張については、まずは厳しい議論に耐えることが重要だ。そのため本当は、「Aという実

科学の議論とメディアは相性が悪い

本来的に、科学とメディアは相性があまりよくないのかもしれない。たとえば、「犬が人を噛んだ」はニュースにならない一方で、「人が犬を噛んだ」はニュースになる。科学の議論の多くは前者の再現性をベースにしているためニュースバリューが低く、それゆえに過激な見出しになりがちなのだ。

「犬が人を噛んだ」はあり得ることなので話題になりづらい

「人が犬を噛んだ」は珍しいことなので話題になる。メディアでは物事の真偽よりも話題性が重宝される

験が100回再現されました」などを報じるほうが科学の実態を反映しており、情報提供としても正確だ。

珍しくないことはニュースにならないが、その珍しくなさこそが科学の真骨頂なのである。そのため、科学記者にはスクープがなく、新聞社では肩身の狭い思いをしがちな実態もあり、悩ましい。

ただし、前提となる理論のパラダイム転換がなされても残っている説もある。たとえば、「瀉血」。体にある「悪い血液」を外部に排出するという治療法だが、人体には四つの体液（血液、黒胆汁、黄胆汁、粘液）があり、そのバランスが崩れることで病気になる、という説が近代まで広く受け入れられていたため、一般的な治療法として広まっていた。特に競走馬に対する瀉血療法は「笹針」と呼ばれ、ごく最近（2022年）まで、この治療法は公的に制限されていなかったのだ。

大事なのは「再現性」

科学的なデータとして一つポイントは、「誰がやっても同じ結果が得られる」という再現性である。一方、このような「追試」は研究や論文になりにくく、あまり評価されない傾向にある。そのため、研究者がわざわざ追試に時間をさくことがあまりなく、誤った研究報告がいったん学会で受け入れられると、その誤りが改められにくくなる。

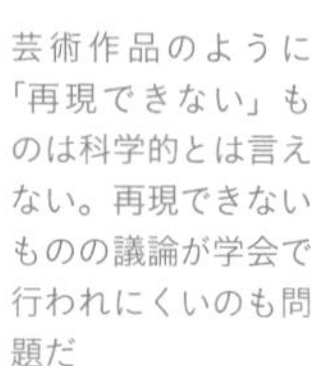

芸術作品のように「再現できない」ものは科学的とは言えない。再現できないものの議論が学会で行われにくいのも問題だ

×
○
再現できない…
再現できた！
信頼できる科学的な知見とは、料理のレシピ本のように「再現できる」こと

科学の議論は対面がよい？

科学の議論は学会や論文誌上でなされるだけでなく、最近はネット上でもなされている。ただし、科学的方法を身につけていない人々の参加があると、議論の質が低下し、いっけん優勢に見える論客が実は虚勢を張っているだけという事態が生じやすい。

ネットでの議論
対面での議論
対面での議論を行う方が建設的な議論につながるかも
匿名性が高く、文字を介した議論では人格攻撃などの誤った論法に陥りやすく、極端な結論が出やすいこと（集団極性化）にも注意が必要だ

新たな知見が立証されるまでには長い議論が必要

意外な結果や革新的な発表などよりも、実は長い議論の末に立証されたことの方に価値がある。注目されがちな「結果」よりも重要な、試行錯誤の議論を「見える化」できるといいのだが…

目立つ結果の方が報じられがちだが、それまでの議論のほうが大事だ

結果に至るまでの「議論」はメディアで表現しにくいのかもしれないが…

column
否定的な結果は出版されにくい？ 科学者議論の限界と出版バイアス

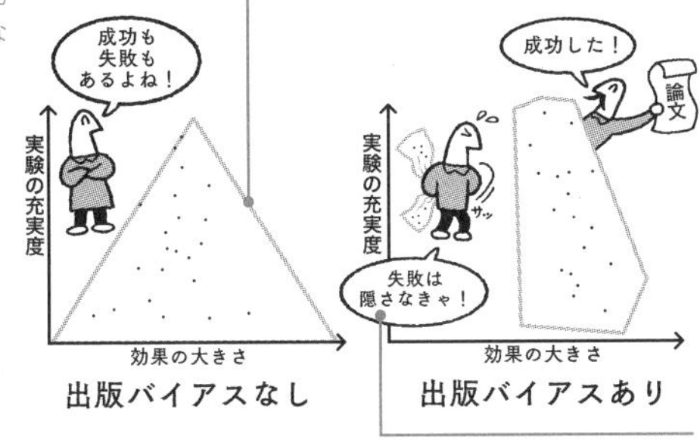

「失敗」も科学的議論には欠かせない重要な結果

失敗した結果はどうしても発表されにくいので、成功例だけに偏ったデータになりがち

これまでの科学的な知見の蓄積は確かに重要なのだが、科学の営みを行っているのは人間であり、その人間は社会とつながっている以上、構造的に避けにくい問題もある。その一つとして出版バイアスがあげられ、これは「肯定的な研究は出版（公表）されやすく、否定的な研究は出版されにくい」という意味である。

飛行機のように100回飛ばしたら100回飛ぶような対象と違い、大規模なデータを統計的に分析することで初めて効果が確認できるような対象や仮説の場合、繰り返しの実験・追試は不可欠である。その場合、被験者の性質や研究者のウデなどのさまざまな理由により、仮説に対して思わぬ否定的な結果が出ることもある。

しかし、肯定的な結果が得られなかった場合、研究者は研究が失敗したと思い、そのデータを公表しないこともある（これを「お蔵入り効果」と呼ぶ）。そのため、本来は肯定的な結果と否定的な結果が入り混じる場合でも、肯定的なデータのみが公になっていることがあるのだ。

さらに、科学を取り組むのに問題ある学会の場合、その学会の主義主張に合致しない結果はそもそも受け入れられなかったりもする。そうした出版バイアスの可能性は、多くの研究が発表されていればメタ分析によって推定することができる。やはり多くの追試の研究がなされていることが、真の効果を知るうえで非常に重要なのだ。

技術は科学の萌芽?

31

漢方が科学になるまで

すべての効果が立証されているわけではないが、
経験的に効果があるとされているものは多い
この効果は
大きそうだ
「大建中湯」には山椒、人参、乾姜が生薬として配合されており、
腹痛やお腹の張りをやわらげ、胃腸の調子を改善する効果がある

胃腸の調子を改善する効果があり、漢方のなかでもよく使われる「大建中湯」。神経伝達物質であるアセチルコリンの分泌促進作用により胃腸の動きを活発にする、などの作用機序が明らかになっているほか、複数のランダム化比較試験によって安定した効果の検証がなされている。まさに技術が、科学の裏付けがとれた「科学・技術」へと発展した（この科学技術を研究する学問分野が「工学（テクノロジー）」である）。

熟練した人しかできない奥義的な「技術」を誰でも利用できるようにするプロセスは科学の真骨頂である。科学・技術という場合に「・」が使われることがよくあるが、これは科学と技術の違いを端的に表現している。

たとえば漢方治療は、現在も幅広く社会に応用されている「技術」である。漢方では「気・血・水」「陰陽」などの独自理論に加え、「証」という人体の状態を表現する概念によって患者の状態を診断し、漢方薬を処方する。漢方薬は200種類以上ある生薬を複数組み合わせて使われ、その多くが植物に由来する天然成分である。「ペリーが来航した際にひいた風邪を治したのは漢方薬」などの逸話が数多く残っており、理論やデータは別にしても、社会的な応用性は高いとい

漢方は後追いで科学にさらされた

1960年代に医療用漢方薬の薬価が定められた際、「長年の使用経験によって有効性や安全性が保証されている」ことを理由として、治験を経ずに承認されたようだ(1985年までに148種類)。時代のせいといえばそれまでかもしれないが、科学でなくとも経験的な「知」に基づき実践され、価値が確かめられている対象・事象も、世の中には実は多いのだ。

効果を適切に評価するのも科学の役目
漢方
科学

ようやく「漢方」が科学の明かりに照らされた

さまざまな対象の価値を「見える化」するための手法が科学といえる。すなわち、応用性の高さは、科学へと発展する可能性を示す指標といえる。

える。一方、その科学的なメカニズムや効果の検証は最近までほとんど行われてこなかったようだ。

しかし、独自概念に基づく漢方理論はともかくとして、近年、漢方薬の効果を科学的に検証する試みも活発化している。大建中湯(だいけんちゅうとう)や六君子湯(りっくんしとう)など、詳細な作用機序だけでなくランダム化比較試験による厳密な効果検証がなされた漢方薬も多数存在し、門外不出の奥義から科学として現代化したよい事例といえる。

なお、科学が社会的な営みである以上、批判や検証を受け入れる体制の有無はやはり重要な観点で、たとえば漢方の場合「漢方治療エビデンスレポート」という形式で、ランダム化比較試験以上の強いエビデンスのレビューが定期的に見直されながらオープンに公表されている。こうした公共性の高い取り組みは、市民にとって歓迎されるべきものだろう。

漢方はもはや日本独自のもの

5〜6世紀ごろ、中国から日本に医学が伝わったが、その後独自の発展を遂げたため、現在の漢方は「日本独自の医学」である。ちなみに、天然由来という面から漢方薬は「副作用がなくて安心」と思われがちだが、これは誤解で、場合によってはアレルギー反応などを起こすことももちろんある。

知らない…
何あれ？
日本で独自に発展していった
現在の漢方は、本家の中国と
は異なったものになっている

アニマルセラピーの効果も後追い実証

動物を介在させることで対象者の精神、身体の治療補助を行うアニマルセラピーなど、経験に基づき応用的に実践され、科学的根拠があとから確かめられたメソッドは多い。アニマルセラピーでは認知症患者への効果について、うつ症状への緩和が示唆された。

認知症患者への効果はすべ
てが肯定的なものではなく、
QOLや社会的機能の改善効
果はみられなかったとの結
果もある（Lai, et al. 2019）。

奥義のままでももちろんOKだが、もったいない！

古くから知られていた技術とその効果も、科学的な根拠が立証されることでより信ぴょう性のある製品となり、広く社会に広まることも期待できる。

一見怪しげでも経験的に効果が認められたものは、科学的に検証すれば科学の発展にもつながる

column

生成AIは疑似科学を教えてくれるか？

土は取り除いてあるので、答えは「0㎥」

最新「技術」という意味で、最近話題の生成AIに頼れば、何が疑似科学かを教えてくれるだろうか。筆者らもいくつか実験してみたが、ごく簡単にいうと、現在の生成AIは一定のネット情報を読み込んで「無難な回答」を返すという仕組みなので、対象の科学性・疑似科学性を判定するには不十分なようだ。Transformerと呼ばれる自然言語処理モデルによってかなり流ちょうな対話を実現した生成AIだが、こと情報の正確性という意味では、存在しない文献を引用した回答を返してくることもあるため、取り扱いには少し注意が必要だ。

また、現在の生成AIは創造性やひらめきが必要な問いには弱いようだ。たとえば、深さ3m、幅3m、長さ3mの穴には、土は何立方メートル入っているだろうか？ 一見すると、3×3×3＝27㎥などと回答したくなるが、土を取り除いたから穴になるので、正解は0だ。これは、ヒトの直感的思考の程度の測定手法としてよく使われる設問の一つだが、こうしたとんちを生成AIは理解できない（なお、個別に正解を学習する対策は可能なので、今後この問題については対応がなされる可能性もある）。

将来的には生成AIが疑似科学を判定してくれれば消費者にとってもありがたいが、現状のレベルではまだ過信はできないようだ。

32

教育現場に潜む疑似科学

先生や科学者の言ったことをそのまま信じるのではなく、PISAの問題のように批判的に考えるのが大事だ

科学リテラシーを測定するための調査PISAで過去に出題された、課題文と問題に次のようなものがある。
「農業用肥料を生産する化学工場近辺の地域では、長期にわたって呼吸器系の疾病で苦しんでいる人々がいます。地域住民の多くは、これらの症状は化学肥料工場が排出している有害ガスが原因であると考えています。化学工場が地域住民の健康におよぼすかもしれない危険性について話し合う住民集会が開かれ、そこで科学者たちは次のようなことを述べました。」(⇒左頁に続く)

教育現場で疑似科学が話題になることもある。特に「水からの伝言」や「EM菌」など、道徳教育の文脈で問題になることが多い。善悪や倫理のような人の感情や信念の部分に対して、科学がそれを担保しているようにみせることで説得力を高める効果があるのかもしれない。特に初等教育の場合、教員は自身の専門分野以外の科目も扱わなければならないため、相対的に疑似科学が入り込みやすいといえる。

一方、学校教育のなかで科学リテラシー(市民が身につけるべき、科学についての基礎知識、科学の探究方法の理解、科学的な成果に向き合う姿勢)を育成するための取り組みもある。PISA(OECD生徒の学習到達度調査)と呼ばれる国際調査がその代表で、3年に一度15歳の生

※[問2の模範解答例]二つの地域の人口が異なるかもしれない/片方の地域はよりよい医療サービスを受けられるかもしれない/二つの地域では老人の比率が異なるかもしれない

科学リテラシー調査「PISA」の具体例

（⇒右頁からの続き）化学薬品会社に雇われた科学者と、地域住民が雇った科学者の述べた内容はイラストのとおり。
問1：会社側に雇われた科学者が述べたことが、「健康被害は排出ガスの影響ではない」と主張するのに不十分である理由を挙げよ
問2：地元住民が雇った科学者の比較が適切でないと思われるような理由を挙げよ
［模範解答は欄外に］

化学薬品会社に雇われた科学者が述べた内容：「この地域の土壌の毒性を調べたところ、集めたサンプルからは毒性のある化学薬品の証拠は見つかりませんでした」

地元住民に雇われた科学者が述べた内容：「この地域で長期にわたる呼吸器系疾患の発生件数を化学薬品工場から遠く離れた地域の件数と比較したところ、化学薬品工場の近辺のほうが、件数が多いことがわかりました」

徒を対象に、「読解力」「数学的リテラシー」「科学的リテラシー」の三領域が調査されている。科学的リテラシーでは基礎的な理科知識だけでなく、本書で扱っているような、市民生活での科学情報の比較や活用に焦点をあてた問題も多数あり、かなりよく練られている。近年の成績では日本は国際的に好成績を収めており、全体としては、優秀だといえる。

ただし、筆者らが中学生と成人を比較した研究では、「科学者の言うことは信じなければならない」や「理科の授業で先生が言ったことは正しい」などの質問に対して肯定する度合いが中学生のほうが有意に高く、「科学者」や「先生」といったある種の権威に対する一定の従順性がみられた。そのため、「学校で先生が言ったから」という理由で生徒が疑似科学に疑いをもたない可能性もあり、教員のリテラシーに左右されている状況だ。

※［問１の模範解答例］科学者が会社からお金を貰っているかもしれない／土中でなく大気中の化学物質が原因かもしれない／毒性物質は変化・分解されるかもしれない／土壌のサンプルがその地域全体を代表するものではないかもしれない

道徳教育で取り上げられてしまった「水からの伝言」

水に対して、ありがとうなどの「よい言葉」をかけると結晶は美しい形となり、バカや戦争などの「悪い言葉」をかけると結晶も醜い形となる、といった言説が道徳教育にて取り上げられ問題になったことがある。『水からの伝言』（著：江本勝）という書籍の内容をそのまま受け入れたことに由来し、「科学的に検証された事実」として広まったのだが、もちろんそうした主張は科学的に支持できるものではなく、疑似科学である。

ちなみに、氷の結晶が六角形なのは、水の分子（酸素原子と水素原子）配列にとって安定した形であるためだ
『水からの伝言』の主張を受け入れるとこのようになる

未だに信じられているEM菌

EM菌と呼ばれる、「有用な微生物」をさまざまな用途に利用できるとする主張がある。かつて学校で水浄化のため購入してプールにまいた事例がある。自治体においても、環境保護啓蒙活動の一環としてこのEM菌を利用したイベントが開催されたこともある。しかし、EM菌がうたう効果・効能は科学的に実証されたものではなく、土壌改善以外の効果については、端的に言うと疑似科学である。

イベント主催者側も、水質浄化の効果が無くても環境教育につながるからよい。といった主張まである
EM菌が含まれているとされる泥団子を川などに投げ入れるイベントが存在する。誤った科学知識を植え付けてしまう事例だ
?

教育現場で失敗を避ける弊害

中学生のほうが科学や科学者に対して従順であることの背景には、小学校で専門外の教員が理科を教える場合、科学リテラシーの理解・普及が進んでいないために「失敗する可能性のある実験」を嫌い、ごく簡単な成功実験ばかりを教材として選定していたという可能性が考えられる。仮説通りのデータが得られないことを示すことのほうが、むしろ科学の本質に迫っているといえるのだが残念なことである。

エ〜ト…
あわわ！
専門外の教員が失敗を恐れるあまり、簡単な科学教育ばかり行ってしまう
失敗を体験することも重要なのに…

もしかしたら、あなたの学校にも疑似科学が…

教育現場には「疑似科学」が入り込みやすく、かつ生徒たちは信じてしまうことも多い。ただでさえ過重労働の先生に求めるのではなく、自ら判断できるリテラシーを獲得していこう

自然でリラックスできる原因なの?

33

マイナスイオンの真実

本来地面はマイナスイオンだらけ。雷が地球全体の地面にマイナスを充電している
ゴロゴロ…

マイナスイオンの健康効果と対比する形でプラスイオン＝悪というイメージが付与されることがしばしばあるが、そのメカニズムは明瞭でなく、合理的な説明とはいえない。多岐に渡る効果がうたわれているが、どのようにしてマイナスイオンが効くのか、といった作用機序自体明確でないのである。

社会に幅広く製品応用されているマイナスイオン。かつてエアコンや空気清浄機など、多くの家電製品に付加価値としてマイナスイオンがうたわれていたことは記憶に新しい。マイナスイオンとは、「大気中に浮遊する負に帯電した微粒子」を指し、ヒトに対して「リフレッシュ効果や癒し効果がある」「健康効果がある」などとされたことからさまざまな製品に応用されている。

しかし、健康効果についてはメタ分析によって、次の結果が示されている。①マイナスイオンによる「身体的効果」はほとんど期待できず、特に、喘息などの呼吸機能関する効果については否定的な実験結果に終わっている（Alexander, et al. 2013)。また、「がんへの効果」「自然治癒力の向上」などの主張を支えるデー

砂埃にもマイナスイオンがたっぷり

森の中や滝の付近において「精神的にリラックスする（人もいる）」ことの理由をマイナスイオンに求めているようである。地面がマイナスに帯電しているという事実から、大気中に浮遊物が多い環境に負の荷電粒子が多いのは無理のない説明である。しかしその場合、滝の近くだけでなく、負の荷電粒子が多い砂埃が舞う砂漠も「リラックスできて健康によい」と理論化できてしまう（長島 2009）。

マイナスイオンたっぷり！
ジョボボ
ビュオオォ

大気中に浮遊物が多ければマイナスイオンも多いので、リラックスできなさそうな砂塵の中もマイナスイオンたっぷり

マイナスイオンが多い場所の印象は、滝の近くなどリラックスできそうなイメージが一般的

個人の問題なので、砂塵の舞う砂漠のほうがリラックスできる人がいるかもしれないが、いわゆる「自然信仰」が主張の端々に見受けられ、科学的とは言い難い

タは示されていない。②マイナスイオンによる「精神・心理的効果」についてもあまり期待できず、健康なヒトに効果があるとみなせるほどの強い根拠はない。ただし、季節性気分障害患者に対する抑うつ作用においてのみ、限定的な効果が示されている（Perez, et al. 2013）。

　マイナスイオンの健康効果に関しては理論面・データ面ともに否定的な結論に落ち着いているが、たとえば、放電式のイオン発生器には集塵効果や除電の効果はあることが理論的に知られているため、もしかしたらドライヤーなどへの応用効果は期待できるかもしれない。また、トルマリン粉末を埋め込んだマイナスイオンブレスレットも売られているが、これはトルマリンの石を叩くと電気が出ることから派生した理論である。当然、ブレスレットからマイナスイオンは出ておらず、疑似科学だ。

マイナスイオン以外の要因の方が大きい

紹介したメタ分析でも電界、気流、湿度、温度などの環境因子による条件は統制されていないようだ。これらの要因の違いにより空気イオンの空間分布や数が大きく変化することはよく知られており、影響は大きそうだ。

リラックスできる環境を測定しようとしても、マイナスイオンよりもほかの要素の方が圧倒的に大きい
その他の要因によってマイナスイオンの数自体も変化するので、測定が難しい

万が一効果があっても量が少なすぎる…？

マイナスイオン効果における疑問の一つに、「濃度」の問題がある。たとえば、1立方センチメートル（cm3）あたりにおける103〜105個程度のマイナスイオンの濃度は、「琵琶湖に耳かき一杯分の塩を入れてかき回したときの濃度と比べてもはるかに薄い」ようである（小波 2013)。

こうしたわずかな濃度に生理的な効果があると仮定するよりも、マイナスイオン研究で批判対象となる「統制しきれていない環境的要因（温度、湿度、気流、匂いなど）」による効果だと考えたほうが合理的
琵琶湖に耳かき一杯の塩を入れてもほぼ意味がないように、マイナスイオンの量は少なすぎる
・・・・
塩
琵琶湖

「塩まくら」はむしろプラスイオンなのでは?

最近では「塩まくら」と呼ばれる商品において、マイナスイオン効果がうたわれているようだ。しかし、塩まくらからマイナスイオンが出ているとする根拠や、仮に出ていたとしてもそれが健康効果につながるとする根拠は乏しく、疑似科学性が高いと思われる。

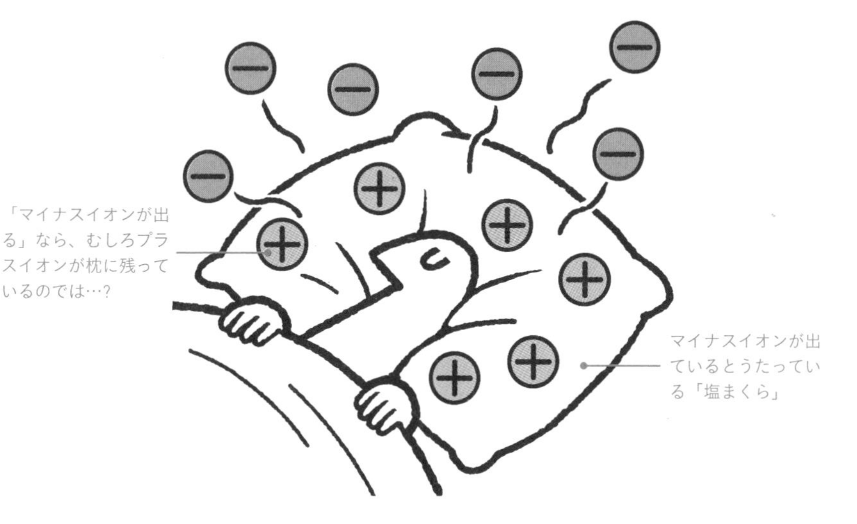

マイナスイオン以外の要因の影響が大きそう

マイナスイオンの効果をうたって製品化された、ドライヤーやまくらなどもどんどん生まれてきている。しかし、その効果の実態はもちろん、過剰な製品応用には基本的に疑問を持った方がよい。

マイナスイオンで「髪にミネラルを与える」という宣伝もあるが、ミネラルという言葉が独自の定義になっている

34 イチョウ葉エキスのあいまいな効果

「記憶力が良くなる」とは何か

イチョウ葉エキス研究の場合、認知機能測定によく使われる一般的な評価項目（SKTスコアやADLスコア）を測定に使用しており、一定の研究数もあるため、この点は評価できる。ただし、健常者を対象としたメタ分析において記憶能力に効果がなかったとする研究もあり（Laws, et al. 2012）、万人に安定した効果が得られると期待するのは少し難しそうだ。

「記憶の精度を高める」「眼の機能をサポート」などの効果があるとするイチョウ葉エキス。タブレットやガムなどで販売されており、見かける機会も多くなった。イチョウ葉エキスは「イチョウの葉から成分を抽出したエキス」を指し、フラボノイド配糖体（22〜27%以上）、テルペンラクトン（5〜7%以上）、ギンコール酸（5ppm以下）などの成分によって形成されている。

イチョウ葉エキスについては現在多くの機能性表示食品が登録されており、2023年7月時点で400件弱の届出（イチョウ葉テルペンラクトン、フラボノイド配糖体）がなされているようだ。

一方、届出のほとんどは「機能性関与成分に関する研究レビュー」によってなされており、個別の研究をみていくと測定

希望に沿った「出来レース」が起こりがち

機能性表示食品の書類では調査過程の検索式なども記述するようになっており、詳細な情報も調べようと思えば誰でも確認できる。一方、「研究レビュー（システマティック・レビュー）」の場合、検索式や条件によって調査対象となる研究も決まるため、結果から逆算した「出来レース」的な調査も可能である。実際イチョウ葉エキスについても、ポジティブな結果が出ているいくつかの実験※がよく参照されるような検索がなされているようだ。

ズルい!
OK!
!
ボゴォ
そこを壊せば
ゴールだよ

結果ありきの調査は、ゴールをのぞき見したうえで、ゴールができるようにズルするような問題行為

項目によって効果があったりなかったりするようだ。そもそもヒトの記憶や認知機能の場合、そこにはかなり幅広い意味が内包されており、単一の指標だけでは必要十分に対象を測定できない。記憶や認知機能と一口に言っても、日常生活での動作や言語能力、聴覚的な言語の理解などさまざまな側面があるのである。「記憶の精度を高める」などの表現には曖昧性が残るため、消費者としては過度な期待を抱かないほうが無難だろう。

なお、イチョウ葉エキスが医療に用いられてきた歴史は古く、近代以前の中国が源流と考えられている。「生きた化石」などと呼ばれ、神秘的な効果が期待されてきたようだ。西洋医学へは１９６０年代にドイツ人薬剤師によってもたらされ、のちにイチョウ葉エキス研究で用いられる錠剤（ＥＧｂ７６１）を販売する製薬会社も創設された。

※たとえば Santos, et al. 2003、Burns, et al. 2006 など

量が多ければ良いという問題ではない

イチョウ葉エキス研究の多くでは、1日あたり240mgを目安に服用されているが、その理論的な裏付けは微妙で、研究によっては80mg／日であったり360mg／日であったりとばらついている。これまでのデータを見る限り、多く摂取すればするほど効果が高まる、などのわかりやすい関係性ではないことには注意が必要だ。

望む効果しか見えず、大事な記述が見えていない

効果自体のあいまいさ以外にも「量」の観点などの評価も重要だ

米国ではイチョウ葉エキス効果は否定的?

2000年時点で、米国人がイチョウ葉エキスサプリメントに費やした費用はおよそ2億5000万円であるといわれている。一方、アメリカ国立補完統合衛生センター（NCCIH）のウェブサイトではイチョウ葉エキス効果に対して否定的な見解を示しており、これは、NCCIHによって行われた大規模なRCT実験（被験者3000人）の結果に基づいているようだ。

アメリカ国立補完統合衛生センター（NCCTH）は、薬草（生薬・ハーブ）、栄養補助食品、鍼治療、瞑想、マインドフルネス瞑想、マッサージ、ピラティス、呼吸法、などの補完療法を研究する機関
大規模調査の結果なので信頼できそう

どの効果についてもデータ不足

イチョウ葉エキスを補助療法的に用いている研究（メタ分析）は調べた限り、認知症関連のほかに、脳卒中や脳梗塞、耳鳴り、間欠性跛行、狭心症などたいへん幅広い。しかし結果は芳しくなく、耳鳴りや間欠性跛行、狭心症に対してはおそらく効果がなく、統合失調症や脳卒中、脳梗塞に対しては部分的に改善効果とされるデータが得られているものの、そうでないとのデータもあり評価が難しいのが現状だ。

幅広い分野で効果の有無が研究されている「イチョウ葉エキス」も、そのほとんどで結果が芳しくなく、評価は難しい

フワッとした表現には期待しない

イチョウ葉エキスの効果などでうたわれている「記憶の精度」とはどういう意味なのか真意は不明。ほかにもよくある「からだに良い」などの文言も、「何に」「どのように」「どれだけ」効くのか詳しくする必要がある。

「からだに良い」ことが嘘でなくても、期待するほどの効果ではない場合も多い

35

GABAと機能性表示食品

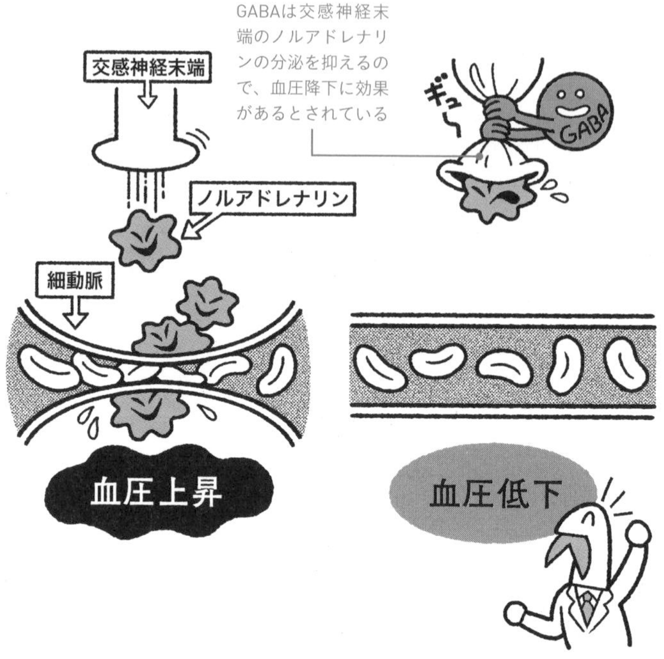

GABAによる血圧抑制作用については、トクホ認可にかかわったランダム化比較試験（梶本ら 2003）のほかに、その後の追試やメタ分析でも安定した結果が出ている（吉川ら 2020）。多くの研究では、正常高値血圧およびI度高血圧を対象に、1日あたり20mg程度の摂取を12週間続けた場合の効果であり、4〜6週間目あたりから効果がみられるようだ。

お菓子などでもよく見るようになったGABA。アミノ酸の一種であり、正式な成分名はγ—アミノ酪酸という。ヒトを含む哺乳動物の脳内に高濃度に存在する抑制性の神経伝達物質※であり、自然界にはトマトやジャガイモ、ナスなどに含まれている。血圧の降圧、睡眠の質やストレス・疲労感の軽減安定をはじめ、肌状態の改善などもうたわれており、なかでも血圧への効果については、2004年に飲料水がトクホとして認可されている。また、これらの効果を標ぼうしているGABA含有の機能性表示食品申請数は800件以上（2023年7月時点）、最上位数であるようだ。

一方、体の外から摂取し、腸で吸収されたGABAが、「血液脳関門」を通過し脳内に移行することは理論的にはほと

「ストレス軽減」は測定不可能?

GABAによる精神的なストレスや疲労感についてはさまざまな角度の指標による測定が試みられており、肯定的な結果が示されているものもある一方、否定的な結果に終わっている研究もある。「精神ストレスとはそもそも何か?」という面で画一的な測定指標設定が難しい対象であるため、安定した効果を示す指標の策定が今後の課題といえる。

α波などの脳波やVASでの主観的な疲労度、クロモグラニンA濃度、副交感神経活動など、ストレスの測定方法は多種多様
GABA
ウ〜ン
「ストレス軽減」についてはいい結果が出ない…(ストレス)

んどないと考えられるため、GABAがなぜ効くのかの詳細なメカニズムは不明な面もある。これについては現在、「交感神経末端のノルアドレナリン分泌の抑制やレニン(酵素)による血圧降下作用(短期〜長期的)」などが有力視されており、理論面も整備されつつある。

ただし、機能性表示食品申請における個別の研究データを読む限り、GABA摂取によるストレスや疲労感については複数の実験があるものの、少数サンプルでの部分的な効果にとどまっており、安定的な効果を示すさらなるデータが必要と思われる。また、「睡眠の質」や「肌への効果」については、さらに特定の1、2報の実験データを根拠としているようで、効果もより限定的だ。理論的なメカニズムとしても不明な点が多く、血圧作用の研究に比べて、理論・データの質量ともに不十分である面が否めない。

※神経伝達物質とは、シナプス(神経細胞間あるいは神経細胞とほかの細胞の間の接合部位)で情報伝達を担う物質を指す。

睡眠の質改善効果はプラセボ?

「睡眠の質」に関する論文データ（２報）を確認したところ、主観的な睡眠の質や疲労感の改善には至らず、脳波数値の一部の改善にとどまっていた（外薗・福田 2018；Yamatsu et al. 2016)。また、サンプル数もごく少数で、体感できるほどの効果があるかは不明瞭だ。

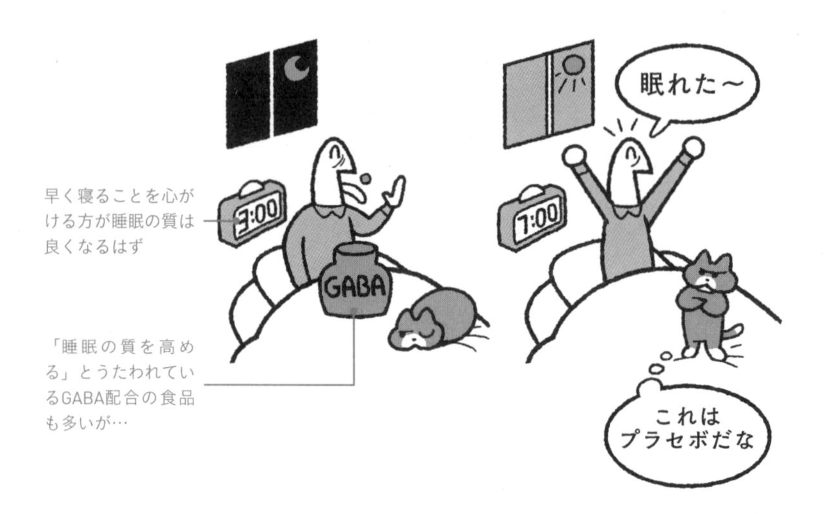
早く寝ることを心がける方が睡眠の質は良くなるはず
3:00
GABA
「睡眠の質を高める」とうたわれているGABA配合の食品も多いが…
7:00
眠れた～
これはプラセボだな

肌への効果はより疑問

肌への効果のデータ（１報）についても、少数サンプルにおける測定項目のうち皮膚弾力性のみの改善傾向のようで、皮膚水分量や主観的な肌の状態などはネガティブな結果であった（外薗・上原 2016)。

早く帰って寝なよ…
生活習慣見直せよ…
GABAで美肌を保つんだ！
お先～
GABA
GABAを食べるよりも、生活習慣を改善する方が効果的かも

GABAは脳の後遺症に効いていた

ちなみにGABAは、頭部外傷の際の後遺症に対する脳の代謝機能促進のための医薬品として使用されてきた。「ガンマロン錠」という名称で一錠あたり250mgのGABAが含有されており、成人は1日最大3gまで服用可能である。2001年に厚生労働省による食薬区分の見直しが行われ、GABAが一般食品成分として使用できるようになったことから、健康食品への応用が活発化したようだ。

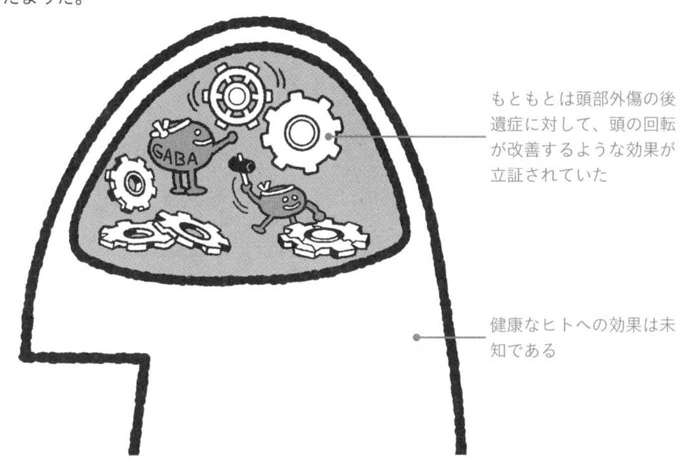

もともとは頭部外傷の後遺症に対して、頭の回転が改善するような効果が立証されていた

健康なヒトへの効果は未知である

GABAの効果、血圧データ以外はかなり疑問

「ストレス・疲労感に効く」「良い睡眠が得られる」「肌にいい」などの宣伝文句も多いが、実際はこれらへの効果は疑問だ。機能性表示食品の申請数は上位だが、企業の自己責任制度であることを再認識しよう。

血圧の上昇抑制には効果はあり!

ストレスや疲労感の改善には、効果があるとは言い切れない

睡眠の質改善効果は不明瞭

肌質改善の効果はほとんどない

第6章

疑似科学を見極める人間の視点

ヒトの認知や思考の特性について理解することは、疑似科学の見極めや科学リテラシーの獲得にもかなり役に立つ。実際、そうした視点が抜け落ちていたためにより問題がこじれたケースも多々あるのだ。一気にすべてを解決することは難しいかもしれないが、本章で紹介するような「人間側の視点」を身につけ、科学や疑似科学に関わるさまざまな場面で実践していけば、世の中も少しずつ変わっていくかもしれない。

それって「個人の感想」ですよね

36

広告表示のトリックに騙されるな

今なら
お得！
効果絶大！
効果には個人差が
あります
予告なく
変更する
ことがあります
個人の
感想です

商品の魅力を誇張して伝える「強調表示」

効果の例外などを伝える「打消し表示」は、控えめに小さく表示していることが多い

疑似科学的な商法は広告によって支えられている可能性がある。実際、筆者らの研究によって、広告表現に科学的な言説が伴っているにもかかわらず十分に科学的であることが表明できていない疑似科学広告の、新聞紙面におけるその面積は年々増加しており、多くが健康食品関連であることが判明している。

美容・健康情報に顕著だが、「健康に不安があるあなたに〇〇（商品名）を！」などの、消費者に対して「科学的である」かのように誤解させるような広告が目につく。商品の魅力を誇張して伝える広告表示を一般に「強調表示」というが、こうした強調表示のうち、悪質なものについては「景品表示法」に基づく摘発や行政指導が消費者庁から行われる。景品表示法では一般消費者の自主的かつ合理的な選択を誤らせるような広告は禁止されており、たとえば、「水素水を摂取することにより、体内の悪玉活性酸素が排除され、老化防止効果、がんなどのさまざまな疾病の予防効果などが得られるかのように示す表示」を行った企業に対して措置命令が下されている。

一方、こうした強調表示に対して、そ

広告の「打消し表示」を知っておく

消費者庁は広告における打消し表示を広く調査したうえで、それらを内容別に分類している。このうち、体験談型については使用頻度が高く、しかもかなりの割合で「体験談と同じような効果が得られる」などと消費者が認識することが判明している。また、健康食品に興味がある人はネット情報よりも新聞広告・雑誌広告や家族・友人の口コミ情報をより重視するとの調査結果もある。

世の中には、さまざまな打消し表示の種類がある。これは「別条件型」

※上記の申し込みには ●●オプションへの加入が必要です

分類名	内容	具体例
例外型	例外がある旨の注意書き（別条件型，追加料金型以外）	・○○によっては給付対象にならないことがあります
体験談型	体験談に関する注意書き	・個人の感想です ・効果には個人差があります
別条件型	別の条件が必要である旨を述べる注意書き	・○○契約が 3 年間必要です ・○○を同時にお申込みの方限定
非保証型	効果・効能を保証しない旨の注意書き（体験談以外）	・効果には個人差があります ・効果効能を保証するものではありません
変更可能性型	予告なく変更する可能性がある旨の注意書き	・予告なく変更する可能性があります
追加料金型	追加金銭が必要である旨の注意書き	・別途初期費用がかかります
試験条件型	一定の条件下における理論上の数値等である旨の注意書き	・○○対応の場合の数値です

（消費者庁調査に基づき筆者作成）

の例外を示すような「打消し表示」が多用される傾向がある。「効果には個人差があります」などの表示であり、打消し表示は強調表示で訴求している内容に例外事項がある場合にやむを得ず使用されるべきものとされている。しかし、消費者庁による調査の結果、「多くの一般消費者は打消し表示を認識していないか、認識したとしても打消し表示によって強調表示から受ける印象・評価にほとんど影響はなかった」との知見が示され、打消し表示がほとんど意味をなさないことが指摘されている。

販売業者が意味も無く「白衣」を着ているものや商品の効果と直接関係のないグラフの多用など、疑似科学的広告のバリエーションは豊富な一方、法的な規制による解決は難しい。広告のトリックに惑わされない目を磨く必要が、消費者の側において生じているといえるだろう。

見たいものしか見えない罠

消費者が打消し表示をうまく認識できないことについて、文字の大きさやレイアウトなどの影響は少ないとの研究結果がある（森ほか 2019）。ヒトは目に写っているものを見ているのではなく、見たいものを選択的に見ていることは心理学・認知科学の知見からよくいわれるが、その傾向が端的に表れている事例といえる。

すごく効く！
効果には
個人差があります
一度「強調表示」を目にすると、消費者はそこしか目に入らなくなる
「打消し表示」は小さく目立たないように入っていることが多い。意識して見てみるとよくわかるはず

景品表示法での規制

景品表示法で考慮されるのは広告表示上の特定の文言、図表、写真等から一般消費者が受ける印象ではなく、「表示内容全体から一般消費者が受ける印象」である。特定の文字等の使用が禁止されているわけではなく、あくまで消費者目線での法的規制であるため、積極的に運用されることが望ましいだろう。

消費者が誤解するような、効果を誇張した行き過ぎた表現は規制対象となる

文言を規制するわけではないため、使い方の問題となる

打消し表示への注目度を上げたい！

「体験談と同じような効果が得られる」などと錯覚する「個人の感想」。さまざまな強調表示であふれる一方、打消し表示はほとんど機能していない。「注意の向け方」を変えていくしかないだろう。

こんなにスゴい！
人によるんじゃない…？
個人の感想レベルの文言であっても、信じたくなるような内容だとそれしか目に入らなくなる
広告的な文言
打消し表示
本来は目立たない打消し表示の内容をよく見て、実際の効果を想定したい

column

体験談を「弱める」ための選択的注意

効果には個人差があります
ふーん でもまあ効きそう
あなたには効かない可能性があります
ドキッ
一般的な打消し表示だと、たとえ消費者の目に入ったとしても、効果の方を信用してしまう
「効果には個人差があります」と同じ意味でも、「あなたには効かない可能性がある」という表示にすると消費者の意識は変わる

前述の消費者庁による調査の中で、特に問題視されたのは「体験談型」広告である。広告における体験談の記載は、当該商品の購買意欲や魅力に対して非常に強力に作用することが知られている。消費者が広告内の人物と自身を同一視し、希望やリアリティ（現実性）を高め、自分にも同じような効果や効能が得られると判断するに至るのである（土橋 2021)。逆に、「効果には個人差があります」との打消し表示を行ったとしても、そこで否定されるのはもとの表現ではなく、消費者自らが導き出した推論となる。そのため、広告によって最初に形成された印象を覆すには不十分で、むしろ最初に形成された信念に固執していく可能性が高い。

そこで筆者らは、閲覧者の推論をより強く否定するように「選択的注意」を促す打消し表示の効果を実験的に検証した（山本・後藤 2021)。選択的注意とは、「さまざまな情報が渦巻く条件下で、自身にとって重要な情報のみを選択し、それに注意を向ける認知機能」を指す。具体的には、模擬的な健康食品広告を作成したうえで、「効果には個人差があります」との一般的な打消し表示と「あなたには効かない可能性があります」との選択的注意を促す打消し表示の効果を比較した。結果は、選択的注意を促した打消し表示のほうが広告に対する主観的評価が低く、打消し表示自体を認識できた割合も統計的に有意に高かった。

従来の広告を眺めているだけでは期待の方向にしかリアリティが感じられていないため、消費者が中立的に広告を認知できるような規制が、今後必要とされる。

自然志向の功罪

37

風評被害にあった「味の素」の悲劇

化学調味料
入れるよ～！
うま味調味料
入れるよ～！
化
う
現在の「味の素」
は天然の原料か
ら生産している

「化学調味料」と言われると「化学」へのネガティブイメージで体に悪い気がしてしまう

「うま味調味料」と言われると違和感なく食べられる

かつて化学調味料の象徴として敵視されていた「味の素」。しかしこれを「化学調味料」ではなく、近年使われる「うま味調味料」と呼称すると、ネガティブな印象を抱く人はあまりいないのではないだろうか。この「化学調味料」も、かつて「味の素」という商標を使えなかったNHKが考案した言葉であり、当時は「化学繊維」などが文明的な生活を支え始めていたため、「化学」を肯定的な言葉として採用したのである。

科学と二項対立的に語られがちな「自然」。「自然なもの」を求めるのはわれわれの日常生活においても珍しくなく、逆に、科学・技術の成果をはじめとした人工的なものを嫌う傾向もある。無添加、無農薬など、自分の体に入る農作物や食品に対して特にそうした傾向は強くなるだろう。

一方、こうした自然志向が行き過ぎたために誤った情報が広まることもある。たとえば「味の素などの化学調味料は体に悪く、健康被害をもたらす」といった説や印象が今でも根強く残っている。これは、1960年代、味の素などに含まれる「グルタミン酸ナトリウム」という成分が原因とされた「中華料理店症候群」と呼ばれる症状が世界的に有名な医学誌にて報告され、一般に広まったのが発端である。しかし、その後の実験でグルタミン酸ナトリウムを大量摂取した場合でも、中華料理店症候群の症状は再現されず（Geha, et al. 2000）、グルタミン酸ナトリウムが原因であるとの説は現在否定的な結論に落ち着いている。そもそも中華料理店症候群自体、その後はほとんど報告されなくなっているようだが、一方でグルタミン酸ナトリウムは未だに化学調味料として使われ続けているのである。

こうした説は、①かつての公害問題や自然環境問題による「科学不信」、②「危ない！」という情報のほうがニュースになりやすいメディアの性質、③「自然＝よい」といった直感的な結びつきあるいは思い込み、などが背景となって非常に広まりやすい。科学と自然が対立概念であるという前提に立たずに、こうした情報に接するのがよいだろう。

イメージよりもリスクの吟味を

食品や農作物だけでなく、ワクチン接種や電磁波に対しても、「自然のほうがよい」というイメージに基づく主張がみられることがある。たとえば「麻疹にはワクチン接種よりも自然に罹ったほうが強い免疫がつくからよい」といった説もあるが、この場合「自然罹患によるリスク」が十分に吟味されていない可能性があり、逆にワクチン接種の副反応を過剰に見積もっているといえる。

当たり前だけど、
自然も危険だらけ

自然最高！

自然のままだと、害虫や病原菌のリスクもたくさんある

「自然が良い＝人工はダメ」は本当?

かつて筆者らが行った実験においても、人工よりも自然が好ましいと潜在的に思っている人のほうが、「携帯電話などによる電磁波によって身体に悪影響があるかもしれない」などと主観的にリスクを高く見積もる傾向がやや強かった。自然のほうが好ましいという思いが、同時に科学・技術に対する忌避感につながっているのかもしれない。

生活になくてはならないものは科学の知見の上にある人工物ばかり

「人工的」なものを嫌がるのはイメージを嫌がっているだけでしかない

その「自然」も科学のおかげ

「自然」だと思われている農業も、もとは毒性の強かった植物を、長年の品種改良によって人間が食べられるように開発したものである。ぶどうなどに含まれる苦み成分のタンニンなどがその代表であり、ぶどうを食べた際に感じる苦みは、ぶどうが出している毒なのである。

農作物なども科学的知見による品種改良で、毒性が無く美味しいものになったのだ

自然志向の人がありがたがっている「自然」も、科学の恩恵にあずかっているものばかり

「化学調味料」というフレーズから受ける印象が大きく変化したがゆえの悲劇

「化学調味料」も自然由来。一方で「自然」だと思われている農業も、もとは毒性の強かった植物を、長年の品種改良によって人間が食べられるように開発したもの。人工物への忌避感はイメージでしかない。

サトウキビからつくられる「うま味調味料」

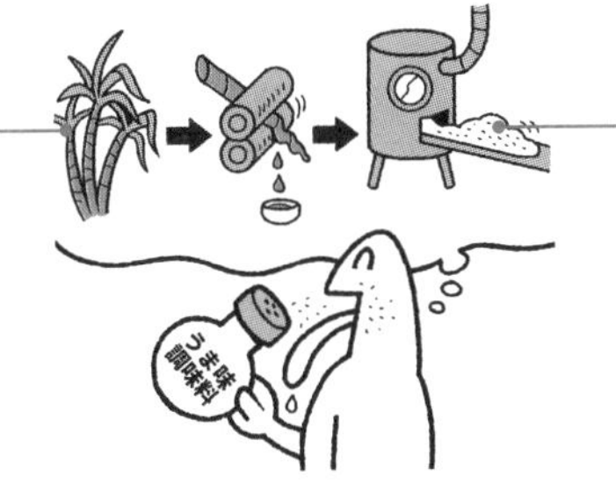

かつての「化学調味料」、今でいう「うま味調味料」は天然物から抽出されており、もはや「化学」調味料ではない

column 農業も自然のままではない

有機農業でも、人の手で科学的な手法がとられいるおかげで美味しい野菜に仕上がる

農薬を使わずに人の手を極力入れないと、植物の防御機構により虫を寄せ付けないための毒が生成される可能性がある
ピ〜
ゴロゴロ

農業は自然志向が出やすい対象である。農薬＝悪いもの、と一方的に語られがちで、有機農業のような農薬を使用しない手法が一定の支持を集めていることからもそれがうかがえる。しかし、有機農業においても実際にはヒトの手や科学的な手法が採用されており、科学・技術の手法に頼らずにいるわけではない。

植物の防御機構という点に目をつけると、有機農業の方が抵抗力の強すぎる（＝毒性の強い）作物が育ってしまうという問題もある。たとえばダイコンが虫に抵抗して出すアリルイソチオシアネートは人間にとっても毒性があり、大量に摂取すると肝機能、腎機能障害を引き起こすことも稀にある。そのため農薬を使い、害虫を防ぐことによってアリルイソチオシアネートの分泌を抑えるほうが人間にとっては安全である。こうした観点に基づくと、人間の手を一切加えなかったり、完全に自然に任せたりすることが必ずしも「健康によい」わけではないのである。

なお、農薬開発の進歩によって、人体に害をなすほどの毒性をもつ農薬は現在では使われていない。技術開発によって、選択的に害虫のみを駆除し益虫を殺さない農薬も誕生しており、安全性の基準も厳しく定められている。そもそも農業という営み自体、人間の都合によって自然を改変した「食料工場」であり、そこに過度な自然性を求めること自体、実は勘違いともいえるのである。

「たとえ」のイメージに引っ張られるな！

38

「遺伝子組換え」などの先入観に注意！

「遺伝子組換え」と「ゲノム編集」は異なるもの。だが先入観による一方への忌避感から、両者を避けてしまうことは多い

先入観によって避けてしまうと、科学的な議論や正しい理解もできなくなってしまう

「遺伝子組換え」と「ゲノム編集」は類似するものの異なる技術だが、「遺伝子組換え」に対してネガティブな先入観によって、どちらに対しても悪い印象を持っている人がいる。先入観は単純な忌避感だけでなく、その後の正しい理解の妨げにもなってしまう。

疑似科学に限らない話だが、各人がもつ「先入観」が、対象に対する見る目を変えることはよくあることだ。たとえば筆者が行った実験でも、「遺伝子組換え技術にもともとネガティブなイメージ（先入観）を抱いている人は、類似する技術であるゲノム編集に対しても、同じくネガティブなイメージを抱く」という結果が示された（山本・石川 2019）。実際のところ、ゲノム編集の危険性はかなり小さい。ましてや、遺伝子組換え作物も従来作物と比較して危険であったり、生態系に悪影響を与えたりするような有力な科学的根拠はこれまでのところない。にもかかわらず、遺伝子組換え技術やゲノム編集は過剰なリスク認知を引き起こすバイアスを誘発する特徴が多く、それが高い不安や強い反対の態度につながっ

「遺伝子組換え」と「ゲノム編集」の違い

遺伝子組換えは、ある生物（作物）から目的とする遺伝子を取り出し、それを別の生物（作物）に導入することによって新しい性質を付与する技術を指す。一方ゲノム編集は、ゲノムを切断できる「はさみ」を用いてゲノム上の特定の部位を削除したり、遺伝子配列を一部置き換えたりし、指定した遺伝子を切断し編集する技術である。

遺伝子組換え作物の人体への影響についてはよく研究されている。たとえば2016年、米国アカデミーによって過去20年にわたる約900件の研究が網羅的に分析され、「長期間の影響も含め人体に害を及ぼす証拠はなかった」との見解が出されている（National Academies of Sciences, 2016）

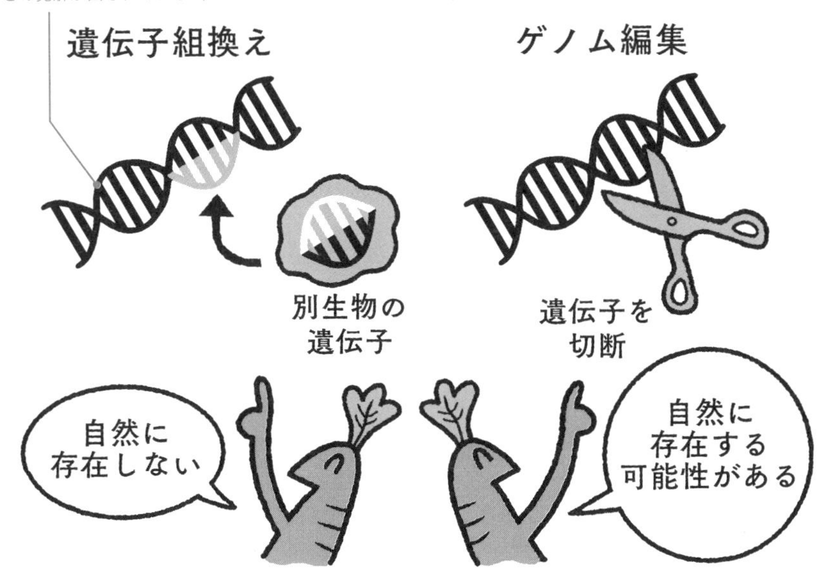

ていることがうかがえる。

筆者らの実験ではさらに、遺伝子組換えに対して否定的なイメージを持っていた場合、ゲノム編集のことを遺伝子組換え技術と「同じような技術」と説明すると、ゲノム編集に対する学習が進まなかった。逆に、「異なる技術」と説明した場合だとゲノム編集技術の理解が進んだため、事前に抱いているネガティブイメージを解消する方策が重要だといえる。同じ事象でも表現の仕方が変わると受け取られ方が異なるといった「フレーミング効果」が、リスク認知バイアスの一つとしてもよく知られている。

何かを説明する際、何かに「たとえる」ことはよくあるが、事前のイメージによってその説明が理解されるかどうかも大きく異なるため、新規の科学・技術が社会的にスムーズに受け入れられるには、こうした視点も必要かもしれない。

悪い印象は後を引く

ネガティブイメージを覆すのは難しい。たとえば吉川（1989）では、仮想的な人物の行動を記述した文章を被験者に提示してその人物の印象を形成させ、その後、はじめの印象と反対の情報を与え、印象の変化を検証している。その結果、好印象よりも悪印象の方が持続しやすく、また覆しにくかったようだ。こうした認知の傾向がわれわれ人間にはすべからくあるため、科学コミュニケーションや科学リテラシー教育においても、こうした知見を踏まえていくのが重要だ。

一度悪いイメージが付くと、そのイメージはなかなか覆らない
「不良がよいことをした」は逆に高感度が高くなるパターンだが、この場合、もともとその不良に対して、大して嫌悪感を抱いていなかったからだろう

利益の期待よりも損失の不安が勝る

遺伝子組換えに対する認知に関しては、「損失回避」も関連する。損失回避とは、ヒトの意思決定において利益と損失は対称的な関係とはならず、利得が与える満足感よりも損失による痛みや不満の方がより大きく感じられるバイアスを指す。たとえば、くじ引きで価値ある賞品が当たったのに、それをどこかに置き忘れてきてしまった場合、損失感は大きい。くじに当たらなかったのと同じだと、簡単には思えないのである。

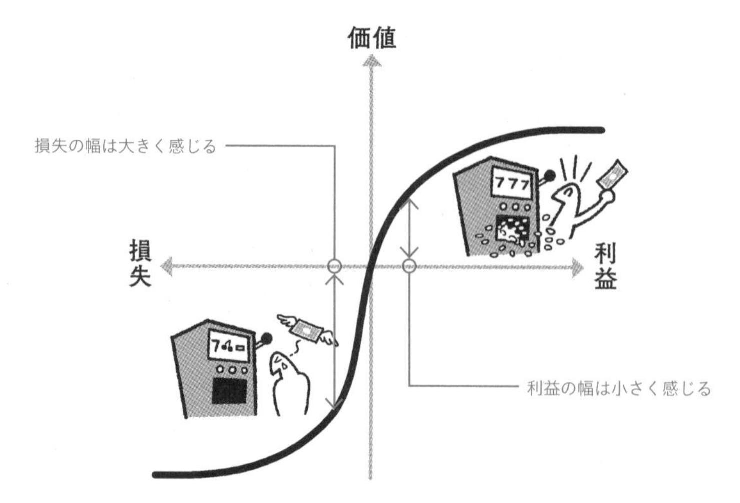

価値
損失の幅は大きく感じる
777
損失
利益
利益の幅は小さく感じる

そもそもフレーズの印象も違う

たとえば「食品汚染」という言葉を聞いたとき、どのようなイメージを思い浮かべるだろうか。実際のところフレーズは同じでも、対象に対する知識や経験など（≒先入観）の差異によって、消費者と専門家などでは、イメージされる内容は大きく異なるようだ。こうした暗黙の前提の違いが、「ボタンの掛け違い」を生じさせているのだろう。

消費者のイメージ（畝山 2016）。食品がまっさらな綺麗なものだと考えている消費者は、どんな微量でも毒素が入っていると気になってしまう

専門家のイメージ（畝山 2016）。食品には本来さまざまな毒素が微量に含まれていることを知っている専門家は、「食品汚染」と聞いても「どの程度なの?」と寛容な構えをするだろう

まずは、イメージの違い自体を共有してみよう

正しい知識を得るには印象に引っ張られないことが重要。そもそも対象に抱くイメージは人によって異なるので、そのすり合わせを意識することから始めたい。

「海賊」という単純な言葉からでも、「映画に出てたひげ面のおっさん」や「少年漫画の主人公」など人によって抱く印象は異なる

39

科学コミュニケーションの難しさ

喫煙
絶対ダメ！
タバコを吸う
権利！
喫煙所
だけなら…

ネット上の議論では折衷案などは無視され、感情的になり極論へ向かいがち

決裂したままの問題は残るため、精神的に疲弊しないようなコミュニケーション方策を講じるのがよさそうだ

ネット上のコミュニケーションでは「文字」、「匿名性」などの要因によりコミュニケーション不全が生じやすい。そのため、各種フィルター機能によって、「見たくないものは見ない」「気に入らない相手は即ブロック」という方向性に向かいやすく、個人の精神衛生という面からは理解できる。

科学コミュニケーションの重要性が叫ばれて久しいが、ネット上での文字ベースのコミュニケーションは簡単ではない。筆者らもこれまで実践してきたが、ネット上のコミュニケーションで建設的な議論を経たうえでの相互理解や合意形成に至るのはなかなか難しく、逆に不毛な議論に終始してしまう場合も少なくない。そうした状況に陥る要因について、いくつか紹介する。

たとえば、オンライン掲示板でのコミュニケーションにはネガティブな側面が含まれることが古くから知られている。匿名では議論中の攻撃的言動が多く、責任の所在もあいまいになるため、議論の結果として態度の極化をもたらすのである。これを「集団極性化」という。

また、「わら人形論法」や「未知論法」、

誤った論法「誤びゅう」の種類

誤びゅうとは端的には誤った論法のことである。三段論法の誤りなどの「形式的な間違い」だけでなく、論理飛躍や人格攻撃などの「非形式的な間違い」も含まれる。人類の歴史においてさまざまな誤びゅうが出現しており、たとえば塩谷（2012）では、誤びゅうを機能別に分類している。

名称	分類される誤びゅう	具体例
タイプ1（論理的な誤り）	・循環論法 ・二者択一の強制 ・三段論法の誤り ・例外の無視 ・未知論法	「我々の味方につくか、敵につくかのどっちかだ」（二者択一の強制）
タイプ2（帰納法関係の誤謬）	・早まった一般化 ・標本の偏り ・観測結果の選り好み ・ステレオタイプ化	「男性（女性）は○○だ」（ステレオタイプ） 「Aという主張は間違っている。なぜなら、自分の周りにはAという意見の人はいなかったからだ」（標本の偏り）
タイプ3（因果関係理解の誤り）	・因果関係の逆転 ・論理飛躍	「少しでも勉強をさぼるのは不良への第一歩だ」（論理飛躍）
タイプ4（用語選択の誤り）	・充填された語 ・意味の曖昧さ ・類比の誤り ・多義語の誤びゅう	「評判のよい人から聞いた話ですが。〜」（充填された語） 「原子力の肯定は殺人者と同じだ」（類比の誤り）
タイプ5（論点ずらし）	・権威に訴える ・人格攻撃 ・お前だって論法 ・わら人形論法 ・多数派論法	（実際にはそう言っていないにも関わらず）「あなたは○○のように主張しているが、おかしな主張だ」（わら人形論法）

※塩谷（2012）に基づき筆者作成

「ステレオタイプ化」などの「誤びゅう」がネット上では散見され、議論に参画する阻害要因になっている。特に、ほかの閲覧者に先入観をもたせる「用語選択の誤り」の誤びゅうは、書き込みログが残りやすいネット上では象徴的である。そもそも、議論を通して真実をつきとめたいという参加者は少なく、自分の主張を押し通すバトルの場になっているのが実情である。

一方、これらを解決する方策として、議論をリードする「司会者（ファシリテーター）」を設けることは有効かもしれない。筆者の実験において、ファシリテーションありの掲示板ではなしの掲示板と比較して、参加者の攻撃的なコメントや集団極性化が抑制された（山本・佐藤 2022）。ChatGPTのようなAIに、人間同士のコミュニケーションの調停者になってもらう方策もありえるだろう。

芸術分野では活用される「誤びゅう」

ただし、誤びゅうは「すべて悪」というわけではなく、コミュニケーションの円滑化のためにうまく活用できる場合もある。たとえば、芸術作品において、あえて誤びゅうを使って強い表現にすることで、より観客の感情に訴えかける作品を制作できる。

表現のためには「誤びゅう」は有効に活用される

議論にはファシリテーターが必要

筆者らが行った実験では、議論の進行をサポートするファシリテーター役が、コミュニケーションの増進に寄与した。特に論争的なテーマの場合、うまい進行役がいるかいないかで議論の活性化に大きな影響が出ると見込まれる。

暴れウシを捌く闘牛士のように、議論の進行役がいればコミュニケーションが円滑に進行する

科学の議論は最適な場所で

科学に関するコミュニケーション増進の手法として「サイエンスカフェ」が古くから知られている。もとは英国などのパブ（社交場）で始まったもので、ビールなどのドリンクを片手に立場に関係なくフラットに議論する場として広まった。日本でも広まりつつあるため、こうした取り組みがより広がっていけば、未来は明るいかもしれない。

専門分野でもフラットに議論できる場があるとよい

こだわりを捨て、最適な議論の心がけを

どんな議論でもヒートアップしすぎると他者を屈服させることが目的になってしまう。特に科学的な議論においては冷静さが必要になるので、「人格」と「議論内容」を切り離してみよう。一方で、みんな仲良くは幻想だが…。

何のための議論なのかを意識しよう

40

疑似科学にハマらないためには？

次のA〜Cのうち、ここ10年でケガをした人数が最も多い選択肢はどれだろうか。
「A：学校や公園の遊具、B：電動ノコギリ、C：トイレ」

公園の遊具は多くの子どもがケガをしそうなイメージ
トイレでの大きなケガはほとんど起きなさそう
電動ノコギリはケガをしそうで危ないイメージ

客観的・中立的に考えることは「好ましい思考法」として学校教育などでもよく指導されるが、実は簡単ではない。本書でも再三紹介しているが、認知バイアスなどの思考の偏りの影響が非常に強いからだ。たとえば、以下のよう問いを行うと、多くの人は「学校などの遊具」を選ぶ。しかし、実は正解は異なる。

本書では疑似科学に騙されないための思考（たとえばクリティカルシンキングなど）の重要性について述べてきたが、実際には「（闇雲であっても）考えれば考えるほど好ましい」ということではなく、「考え方」が重要だ。

いくつかポイントを示すと、たとえば「比較思考」は重要だ。何か一つのリスクや効果に注目しすぎるあまり、より大きな別のリスクや効果に気づかないことが科学と社会の議論では往々にしてある。少し引いた視点で全体を俯瞰してみよう。

また、「量の観点」を考えることも重要だ。仮に「健康によい」という効果がホンモノであっても、それは適量摂取の場合であり、ただの水でも、過剰摂取すれば身体に悪影響を及ぼしうる。「たくさん摂取すればそれだけよい効果が得ら

※答えはCの「トイレ」

答えは印象で決めつけない!

右頁の問題の解説。「ケガ」というワードの意味を限定していない。利用者数やケガの程度を考えると、トイレのほうが多いため、答えはトイレになる。遊具を選びがちになるのは、印象に残りやすいものを選択してしまう「利用可能性ヒューリスティック」と呼ばれるバイアスによる。メディア等で「学校の遊具で児童がケガをした」という情報が頻繁に流れてくるため、その印象に引っ張られた回答をしてしまうのだ。

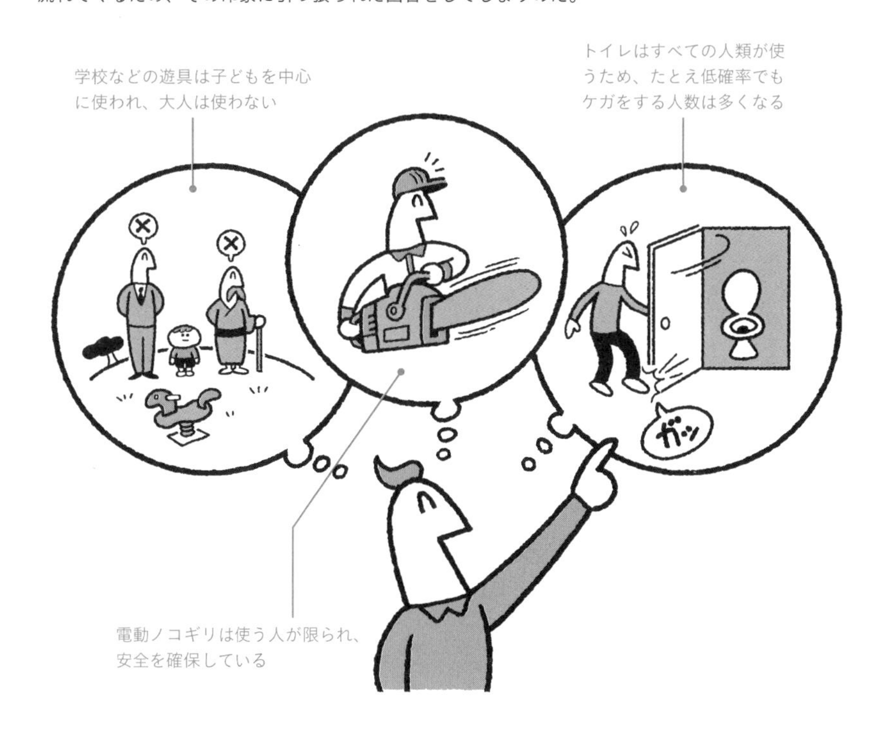

学校などの遊具は子どもを中心に使われ、大人は使わない
トイレはすべての人類が使うため、たとえ低確率でもケガをする人数は多くなる
ガツ
電動ノコギリは使う人が限られ、安全を確保している

れる」といった単純な直線関係に陥らないことがポイントだ。

加えて、「因果関係の過剰な要求」にならないような思考も重要だ。何らかの問題が生じた際、その原因を探しがちになるが、単なる疑似相関（別項参照）を因果関係だと考えたり、比較思考が妨げられたりもする。本書で解説してきた通り、明確な因果関係の推定には非常に厳密な実験が必要だ。科学の知見を「都合よく」使うために、原因を求めたくなる発想をコントロールできるとよいだろう。

これらのポイントに注意しながら、データを「適切に解釈」できるスキルを身につけていくのが、今後の社会全般で必要とされる能力といえる。

身のまわりにある疑似科学を見極めるためにも、思考のコツをおさえて実践していくのが重要で、それにより、科学リテラシーもより磨かれるだろう。

忘れがちな「量の観点」

たとえば水分の過剰摂取は、血液量の増加から血圧の上昇など、人体に悪影響を及ぼしうる。一方、よく知られているように、水分不足の場合は脱水症状や熱中症が懸念される。たとえ「ただの水」であっても、量の観点は重要なのだ。

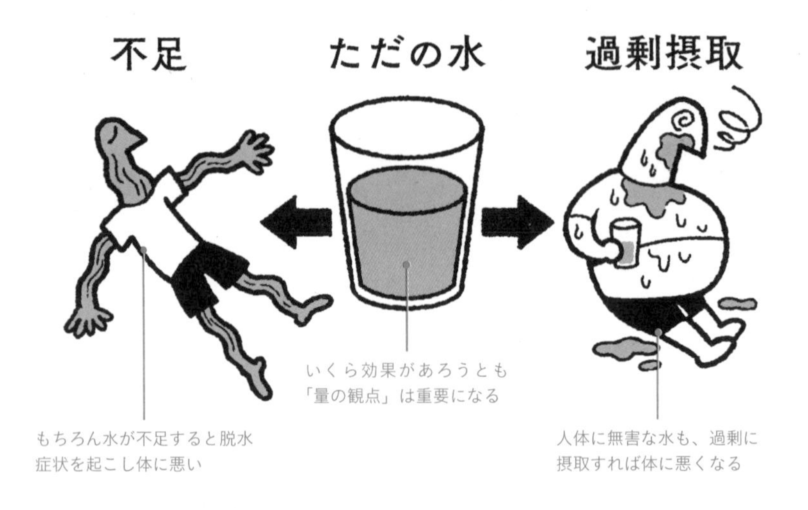

不足
ただの水
過剰摂取
いくら効果があろうとも
「量の観点」は重要になる
もちろん水が不足すると脱水
症状を起こし体に悪い
人体に無害な水も、過剰に
摂取すれば体に悪くなる

「比較思考」も大事

比較思考ではたとえば、一つの成分の毒性やリスクに目がいくあまり、近視眼的になりすぎるのは本末転倒だ。実際、ヒ素のリスクを気にしすぎ「コメの中のヒ素の量を減らすために水の管理を行ったあまり、かえってコメに含まれるカドミウムの量が増えた」などの研究報告もあるようだ。

カドミウム
「ヒ素」という一つの
リスクを大きく見積も
るあまり、「カドミウ
ム」などの別のリスク
が野放しになっている
ヒ素
視野を広くして
おきたい…
ヒ素

column
疑似科学と陰謀論

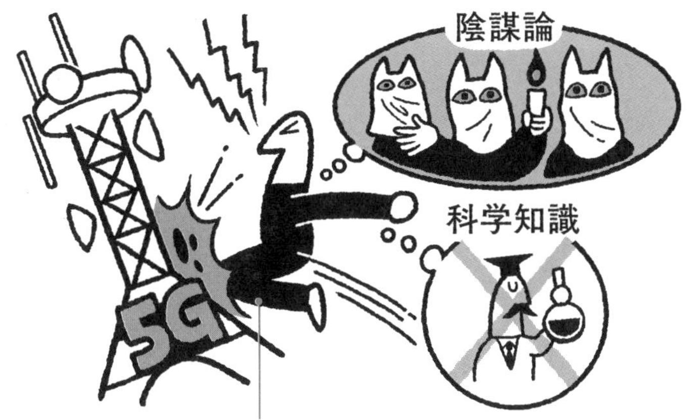

傾向として、「陰謀論的信念傾向」が強く「科学知識」が乏しい場合において、「5G拡散説」などの陰謀論に肯定的になってしまう

次の各記述に対し、あなたはどのくらい同意するだろうか。

・政府は、無この市民やよく知られた有名人の殺害に関与し、そのことを秘密にしている。
・国家元首の権力は、世界を実際に支配している小規模で未知の集団の権力にはかなわない。
・秘密組織が地球外生命体とコンタクトをとっているが、その事実は大衆には伏せられている。
・ある種の病原体や病気の感染拡大は、ある組織による慎重かつ秘匿された活動の結果である。
・科学者の集団が、大衆を欺くために証拠を操作、ねつ造、または隠蔽している。
・政府は、自国へのテロ行為を容認、またはそれに関与し、その関与を偽装している。
・小規模の秘密の集団が、戦争の開始といった世界の重要な意思決定の責任を担っている。
・異星人からの接触の証拠は、大衆には伏せられている。
・マインドコントロールを可能にする技術は、人知れず使われている。
・現在の産業に不都合な先進技術は規制されている。
・政府は、犯罪行為への関与を隠すために、人々をカモにしている。
・いくつかの重大な出来事は、秘密裏に世界を操っている小集団の活動の結果である。
・UFOの目撃情報や噂には、実際の異星人との接触から注意を逸らすために仕組まれたものがある。
・新しい薬や技術の実験は、同意を得ることもなく、日常的に大衆に対して行われている。
・多くの重要な情報が、私利私欲のために大衆から慎重に隠蔽されている。

これは「陰謀論的信念尺度」と呼ばれるもので、回答傾向によって陰謀論的な信念の度合いを測定する。陰謀論的信念とは、根拠の有無にかかわらず、世の中のさまざまな事象が少数の強力な組織や集団によってコントロールされている、と信じる信念傾向を指す。

筆者が行った研究では、「基礎的な科学知識」と「陰謀論的信念の高低」が、「5Gの電波によって新型コロナが拡散される」との説への態度に影響を及ぼしていた。「科学知識が低く、かつ陰謀論的信念傾向が高い場合において、5G拡散説に対して肯定的な態度になる」と解釈できるものであった（山本・後藤 2021）。

陰謀論では、多くのことがある意味合理的に説明できてしまうため、個人の思考としてスッキリしやすい。逆に、すべての事象に根拠を求めたり疑ったりするのは認知資源への多大な負荷がかかるため、基礎的な科学知識を身につけるほうが、上記のような説にハマらないためには早道かも知れない。

おわりに

いかがだったでしょうか。読者のみなさんの、科学および疑似科学についての理解が少しでも深まったなら幸いです。

科学はわれわれの生活を豊かにできる手法である一方、「科学である」という「信頼性」を得るには一定のハードルがあります。そして、意図的にせよそうではないにせよ、そうしたハードルに達していないまま社会的な応用などが進められている場合は批判の目が向けられます。ある意味でこれは、科学の自浄作用といってもよく、疑似科学という概念がある程度一般的な用語として成立しているのも、現代社会における科学の貢献と、それに伴う疑似科学の問題とが混在しているからかもしれません。

こうした状況において、われわれ一般市民としては、科学的な成果を享受しつつ疑似科学を見抜く「両面的なスキル」が必要です。すなわちそれは、「よいものはよく、ダメなものをダメと見抜けるスキル」です。実際、科学などの学術研究分野だけでなく、そのほかのさまざまな分野においても、このスキルは重要であろうと思います。本書が、科学と疑似科学にお

けるその獲得の一端を担えれば幸いですが、どうでしょうか。

さて、冒頭にも書きましたが、本書の内容の一部は、筆者らが運営する「Gijika.com」というウェブサイトにも掲載しています。「疑似科学」や「科学リテラシー」で検索すると、そこそこ上位に出てくるサイトのようなので、本書で書かれている個別の事例により興味があったり、科学リテラシー向上のための教材を実践したりしてみたい人はアクセスしてみてください。

Gijika.com（https://gijika.com/）

Gijikaチャンネル（Youtube）

最後に、筆者らの原稿執筆の進みが遅い中、辛抱強く丁寧に仕事を行ってくださった編集の越智和正さん、また、抜群の表現力でイラスト・図を描いてくださった、しりもとさんに深く感謝申し上げます。また、本書のもとになったGijika.comに協力していただいた関係者にもお礼申し上げます。

著者一同

キーワード

第1章：科学とは何か？

1	仮説と検証　東京の水　方法論
2	農業と統計　気象予測　クリティカルシンキング　健康食品 フードファディズム
3	はげ頭のパラドックス　境界設定問題　科学リテラシー
4	反証可能性　パラダイム　ポパー　クーン　脚気論争
5	理論　データ　理論とデータ　社会　ソーカル事件 科学相対主義

第2章：疑似科学の「理論」の見抜き方

6	幽霊　臨死体験　パレイドリア錯視　量子論
7	ホメオパシー　自然治癒力　武器軟膏　プラセボ効果
8	温泉法　放射線　ホルミシス効果
9	デトックス　ミネラル　有害ミネラル
10	ブルーライト　青色と犯罪　青色と記憶

第3章：疑似科学の「データ」の見抜き方

11	因果関係と相関関係　疑似相関　母集団の比率　陰謀論 四分割　3た論法
12	エビデンスレベル　認知バイアス　トクホ　機能性表示食品 コクランライブラリー
13	個人の意見　白衣効果（ハロー効果）　確証バイアス
14	事例報告　一般化　ブルーベリー　N-of-1試験
15	症例対照研究　コホート研究　リコールバイアス　偽の記憶 二重過程理論
16	ランダム化比較試験　盲検法　対照実験　自然実験 プラセボ効果
17	メタ分析　システマティック・レビュー　効果量 フォレストプロット　出版バイアス　ワクチン接種と自閉症
18	電磁波とがん　電磁波による健康被害　リコールバイアス ノセボ効果
19	牛乳有害説　疑似相関

第4章：「理論とデータの関係性」と疑似科学

20	予測　後付け仮説（アドホックな仮説）　地震予知　ケイ素水（シリカ）
21	立証責任　悪魔の証明　操作的定義　波動測定器　IQテスト
22	バーナム効果　自己成就予言　ラベリング効果 コールド・リーディング　ホット・リーディング メンタリズム　血液型性格診断
23	磁気治療　永久磁石　メタ分析
24	水素水　水素ゼリー　水素生産菌　機能性表示食品　措置命令
25	EPA　DHA　血液サラサラ　疫学研究　栄養機能食品　費用対効果
26	O-リングテスト　反証可能性　VAS　こっくりさん コールド・リーディング

第5章：現代「社会」と疑似科学

27	血液クレンジング　オゾン療法　呼吸　ホルミシス効果　ニセ鍼
28	学会　特許　JIS規格
29	査読　ハゲタカジャーナル　p値ハッキング チェリーピッキング　グリホサート
30	科学とメディア　瀉血　笹針　集団極性化　出版バイアス
31	科学・技術　漢方薬　アニマルセラピー　生成AI
32	PISA　科学リテラシー　EM菌　水からの伝言
33	マイナスイオン　トルマリン　塩まくら
34	イチョウ葉エキス　機能性表示食品　記憶 システマティック・レビュー　NCCIH
35	GABA　機能性表示食品　血圧　睡眠の質　ストレス

第6章：疑似科学を見極める人間の視点

36	打消し表示　強調表示　景品表示法　体験談　選択的注意
37	味の素　グルタミン酸ナトリウム　中華料理店症候群 フレーミング効果　自然と人工　化学調味料　有機農業
38	遺伝子組換え　ゲノム編集　先入観　フレーミング効果 損失回避　暗黙の前提
39	誤びゅう　集団極性化　ファシリテーション　サイエンスカフェ
40	利用可能性ヒューリスティック　量　比較思考　因果関係　陰謀論

参考文献

【第 1 章】

●伊勢田哲治（2019）：境界設定問題はどのように概念化されるべきか，科学・技術研究，8(1)，pp.5-12.

●松田誠（2002）：脚気論争～日本最初の医学論争，日本内科学会雑誌，91(1)，pp.125-128.

【第 2 章】

●Luckey, T.D. (1982): Physiological benefits from low levels of ionizing radiation, Health Physics, 43, pp.771-789.

●服部伸（1997）：ドイツ素人医師団～人に優しい西洋民間療法（ホメオパティー），講談社

●Silvani, et al. (2022): The influence of blue light on sleep, performance and wellbeing in young adults: A systematic review, Front Physiol, 13:943108.

●須谷修治（2008）：青色防犯灯の導入背景と全国実態調査報告，照明学会誌，92(9)，pp.631-636.

●Henry & Beecher (1955): The powerful placebo, J Am Med Assoc, 159(17), pp.1602-1606.

【第 3 章】

●Mendel, et al. (2011): Confirmation bias: why psychiatrists stick to wrong preliminary diagnoses, Psychological Medicine, 41, pp.2651-2659.

●山本輝太郎（2019）：メタ分析研究における横断的レビューの必要性～電磁波による健康リスク関連研究を事例として，情報コミュニケーション研究論集，16，pp.39-58.

●山本輝太郎（2018）：遺伝子組換え作物議論における問題要因分析～二重過程理論の導入による改善の提案，情報コミュニケーション学会学会誌，14(1)，pp.4-17.

●Taylor, et al. (2014): Vaccines are not associated with autism: An evidence-based meta-analysis of case-control and cohort studies, Vaccine, 32, pp.3623-3629.

●Carlberg & Hardell (2017): Evaluation of Mobile Phone and Cordless Phone Use and Glioma Risk Using the Bradford Hill Viewpoints from 1965 on Association or Causation., Biomed Res Int.

●Klaps, et al. (2015): Mobile phone base stations and well-being-A meta-analysis, Sci Total Environ, 544, pp.24-30.

●Liu, et al. (2014): Association between mobile phone use and semen quality: a systemic review and meta-analysis, Andrology, 2(4), pp.491-501.

●Repacholi, et al. (2012): Systematic review of wireless phone use and brain cancer and other head tumors, Bioelectromagnetics, 33(3), pp.187-206.

●Wertheimer, L. (1979): Electrical wiring configurations and childhood cancer, Am J Epidemiol, 109, pp.273-284.

●J ミルク（2022）：ファクトブック：疑似科学と牛乳

【第 4 章】

- Petersen, et al. (2018): Evaluation of cutaneous rejuvenation associated with the use of ortho-silicic acid stabilized by hydrolyzed marine collagen, J Cosmet Dermatol, 17(5), pp.814-820.
- Wickett, et al. (2007): Effect of oral intake of choline-stabilized orthosilicic acid on hair tensile strength and morphology in women with fine hair, Arch Dermatol Res, 299(10), pp.499-505.
- 村上宣寛（2005）：心理テストはウソでした，講談社
- Pittler, et al. (2007): Static magnets for reducing pain: systematic review and meta-analysis of randomized trials, CMAJ, 177(7), pp.736-742.
- Aoki, et al. (2013): Pilot study: Effects of drinking hydrogen-rich water on muscle fatigue caused by acute exercise in elite athletes, Medical Gas Research, 2(12).
- Botek, et al. (2021): Hydrogen Rich Water Consumption Positively Affects Muscle Performance, Lactate Response, and Alleviates Delayed Onset of Muscle Soreness After Resistance Training, J Strength Cond Res.
- Cheong, et al. (2019): Acute ingestion of hydrogen-rich water does not improve incremental treadmill running performance in endurance-trained athletes, Appl Physiol Nutr Metab, 45(5), pp.513-519.
- Michael & Levitt (1969): Production and Excretion of Hydrogen Gas in Man, N Engl J Med, 281, pp.122-127.
- Nishide, et al. (2020): The Effect of the Intake of a Hydrogen—rich Jelly Supplement on the Quality of Sleep in Healthy Female Adults ～ A Randomized Double—blind Placebo—controlled Parallel—group Trial, 薬理と治療 , 48(9), pp.1641-1646.
- Sim, et al. (2020): Hydrogen-rich water reduces inflammatory responses and prevents apoptosis of peripheral blood cells in healthy adults: a randomized, double-blind, controlled trial, Sci Rep, 10(1), 12130.
- Nakao, et al. (2010): Effectiveness of hydrogen rich water on antioxidant status of subjects with potential metabolic syndrome-an open label pilot study, J Clin Biochem Nutr., Vol.46, No.2, pp.140-149.
- Campano, et al. (2022): Marine - derived n - 3 fatty acids therapy for stroke, Cochrane Database of Systematic Reviews.
- Tan, et al. (2016): Polyunsaturated fatty acids (PUFAs) for children with specific learning disorders, Cochrane Database of Systematic Reviews.

【第 5 章】

- Liu, et al. (2015): Ozone therapy for treating foot ulcers in people with diabetes, Cochrane Database Syst Reviews.
- Bohannon, J. (2013): Who's Afraid of Peer Review?, Science, 342(6154), pp.60-65.
- Lai, N.M. et al. (2019): Animal-assisted therapy for dementia, Cochrane Database Syst Reviews.
- Alexander, et al. (2013): Air ions and respiratory function outcomes: a comprehensive review, Journal of Negative Results in BioMedicine, pp.12-14.
- Perez, et al. (2013): Air ions and mood outcomes: a review and meta-analysis, BMC

Psychiatry, pp.13-29.
●長島雅裕（2009）：マイナスイオンと健康，長崎大学学術研究成果リポジトリ.
●小波秀雄（2013）：マイナスイオンとはなにか？，謎解き超科学，彩図社，pp.58-65.
●Laws, et al. (2012): Is Ginkgo biloba a cognitive enhancer in healthy individuals? A meta-analysis", Hum Psychopharmacol, 27(6), pp.527-533.
●Burns, et al. (2006): Ginkgo biloba: no robust effect on cognitive abilities or mood in healthy young or older adults, Hum Psychopharmacol Clin Exp, 21(1), pp.27-37.
●Santos, et al. (2003): Cognitive performance, SPECT, and blood viscosity in elderly non-demented people using Ginkgo biloba, Pharmacopsychiatry, 36, pp.127-133.
●吉川弥里ほか（2020）：GABAの血圧降下作用に対する系統的レビューおよびメタアナリシス，就実大学薬学雑誌，7，pp.1-9.
●外薗英樹・福田理子（2018）：健常成人におけるGABA経口摂取が睡眠に与える影響〜無作為化二重盲検プラセボ対照クロスオーバー試験，薬理と治療，46(5)，pp.757-770.
●外薗英樹・上原絵理子（2016）：γ-アミノ酪酸の経口摂取による皮膚状態改善効果，Nippon Shokuhin Kagaku Kogaku Kaishi，63(7)，pp.306-311.
●Yamatsu, et al. (2016): Effect of Oral γ-aminobutyric Acid (GABA) Administration on Sleep and its Absorption in Humans, Food Sci. Biotechnol, 25(2), pp.547-551.

【第6章】

●土橋治子（2021）：テスティモニアル広告〜なぜ消費者は疑いを感じながらも説得されるのか？，青山経営論集，55(4)，pp.152-165.
●森大輔・髙橋脩一・飯田高（2019）：広告の打消し表示において文字の大きさや配置はどれほど重要か？サーベイ実験，第17回法と経済学会全国大会発表論文.
●山本輝太郎・後藤晶（2021）：消費者保護のためのナッジの活用による効果的な打消し表示の提案〜クラウドソーシングを利用したランダム化比較試験による実験的検討，行動経済学，14，S13-S16.
●Geha, et al. (2000): Review of alleged reaction to monosodium glutamate and outcome of a multicenter double-blind placebo-controlled study, J Nutr, 130(4S):1058S-62S.
●National Academies of Sciences (2016): Engineering, and medicine, Genetically Engineered Crops: Experiences and Prospects, The National Academies Press.
●山本輝太郎・石川幹人（2019）：教材利用者が有する先入観が科学教育に与える影響〜ゲノム編集の評価を例にして，科学教育研究，43(4)，pp.373-384.
●吉川肇子（1989）：悪印象は残りやすいか？，実験社会心理学研究，29(1)，pp.45-54.
●畝山智香子（2016）健康食品のことがよくわかる本，技術評論社
●塩谷英一郎（2012）：言語学とクリティカル・シンキング〜誤謬論を中心に，帝京大学総合教育センター論集，3，pp.79-98.
●山本輝太郎・佐藤広英（2022）：オンライン掲示板コミュニケーションにおけるファシリテーション的介入効果の実験的検討〜科学トピックを例にして，日本教育工学会論文誌，46(1)，pp.183-191.
●山本輝太郎・後藤晶（2021）：疑似科学信奉の背景構造の実証的検討：「電磁波」関連言説の分析に基づく教材開発，電気通信普及財団研究調査助成報告書，36，pp.1-9.

著者

山本 輝太郎（やまもと・きたろう）

金沢星稜大学総合情報センター 講師
明治大学科学リテラシー研究所 客員研究員

1988年岐阜県生まれ。明治大学情報コミュニケーション研究科博士後期課程修了。博士(情報コミュニケーション学)。専門は科学リテラシーで、メタ分析やクラウドソーシングなどの実証研究に強みをもつ。日本科学教育学会奨励賞、乳の学術連合最優秀賞をはじめ、科学リテラシーに関する研究業績において多数の受賞歴がある。疑似科学に関するプラットフォームサイトGijika.comの責任者でもある。2022年4月より現職。

石川 幹人（いしかわ・まさと）

明治大学情報コミュニケーション学部 教授

1959年東京都生まれ。東京工業大学理学部応用物理学科（生物物理学）卒。同大学院物理情報工学専攻、企業の研究所や政府系シンクタンクをへて、1997年に明治大学に赴任。人工知能技術を遺伝子情報処理に応用する研究で博士(工学）を取得。専門は認知科学で、生物学と脳科学と心理学の学際領域研究を長年手がけている。主な著書に、『心と認知の情報学～ロボットをつくる・人間を知る』(勁草書房)、『人はなぜだまされるのか～進化心理学が解き明かす「心」の不思議』(講談社ブルーバックス)、『その悩み「9割が勘違い」～科学的に不安は消せる』(KADOKAWA)、『だからフェイクにだまされる～進化心理学から読み解く』(ちくま新書)、『職場のざんねんな人図鑑』(技術評論社)、『なぜ、穴を見つけるとのぞきたくなるの？』(朝日新聞出版)などがある。

科学が
つきとめた
疑似科学

2024年2月 2日　初版第一刷発行
2024年3月12日　　　第二刷発行

著者　山本輝太郎
　　　石川幹人

発行者　三輪浩之

発行所　株式会社エクスナレッジ
〒106-0032
東京都港区六本木7-2-26
https://www.xknowledge.co.jp/

問合せ先　編集　Tel：03-3403-1381
　　　　　　　　Fax：03-3403-1345
　　　　　　　　info@xknowledge.co.jp
　　　　　販売　Tel：03-3403-1321
　　　　　　　　Fax：03-3403-1829